아부지 일기

아부지 일기

발행   2024년 02월 01일
저자   경국현
펴낸이   한건희
펴낸곳   주식회사 부크크
출판사등록   2014. 07. 15(제2014-16호)
주소   서울특별시 금천구 가산디지털1로 119 A동 305호
전화   1670-8316
E-mail   info@bookk.co.kr
ISBN   979-11-410-6991-9

www.bookk.co.kr

아부지 일기

경국현 지음

BOOKK

프롤로그

"여러분들에게 강의하다가 쓰러지는 한이 있어도 죽을힘을 다해 강의할 것입니다."

성균관대학교 경영전문대학원 EMBA에서 매 학기 강의 첫날, 학생들에게 건네는 첫 마디이다. 강의는 아직 살아 있다는 확신을 심어 준다. 사람들 앞에서 떠들 수 있다는 것이, 매 순간 감동이고 희열이고 삶의 에너지원이다.

행복하게 살고 싶다면 죽음을 알아야 한다. 산다는 것은 죽음으로 가는 여정이기 때문에 죽음을 이해하지 못하고 행복을 느낄 수 없다. 죽음에 대한 이해 없이 행복했다고 하면 거짓 감정일 수 있다. 행복하다는 착각 속에 살다가 '아, 잘 못 살았네'하고 죽는 것이다. 이미 늦은 것이다. 행복하게 살고 싶다면 반드시 죽음에 대한 진지한 고찰을 하여야만 한다.

2017년 백혈병으로 병원에 입원하고 죽을 수 있다는 생각을 처음으로 하였다. 죽는다는 그 감정에 빠져있을 때, 미안한 사람이 딱 두 명이었다. 나의 딸과 아들이었다. 이상하게도 아이들만 눈에 아른거렸다. 아버지로 더 살아주지 못하고 죽는 것이 미안했다. 5살 된 나와 2살 된 여동생을 두고 내 아버지는 뇌종양으로 돌아가시었다. 그분은 나처럼 죽음을 앞두고 어떤 마음으로 그 시간을 받아들였을지 궁금했다. 얼굴도 모르는 아버지이지만 내 삶에서 늘 그리웠던 분이다.

인생(人生)은 일생(一生)이다. 한번 태어나고, 한번 살고, 한번 죽는다. 신은 모든 인간에게 공평하게 일생(一生)을 주었다. 살면서 죽음을 경험할 수 없다. 살면서 죽음에 관한 생각을 거부한다. 망각하고 살다가 지인의 사망 소식에 놀라고, 조의를 표한다. 누군가의 죽음은 늘 피상적이고 상투적인 죽음이었다. 부모가 죽고, 형제가 죽고, 배우자가 죽고, 친구가 죽어도 적절한 슬픔으로 타협하고, 시간이 지나면 죽은 자를 잊는다. 내 죽음이 아니라서 그런 것이다. 내 죽음은 살아있는 동안에 절대 경험할 수 없다.

사람은 죽음을 두려워한다. 죽음 이후에 무엇이 있는지 아무도 모른다. 무엇이 있는지 몰라서 불안하고 두려운 것이다. 끊임없이 인간이 종교에 의존하는 이유이다. 종교는 인간에게 이러한 두려움을 없애주기도 하였지만, 반대로 인간의 생존 의지를 무너뜨리기도 한다. 일단 죽음을 끝으로 보면 종교는 필요가 없는 것이고, 끝이 아니라고 하면 종교가 있어야 한다. 사람은 무조건 죽는다. 그렇다면 사는 동안에 죽음을 준비하고 살아야 하는데, 우리가 할 수 있는 준비는 겨우 죽을 때 입을 '수의' 정도와 신에 대한 충성스러운 믿음이 다다. 무언가 잘 못 된 것 같다.

살아있다는 것은 죽어가는 것이다. 아직 죽지 않았다면 늙어가는 중이다. 두 가지에서 벗어날 수 있는 사람은 아무도 없다. 백혈병이 걸렸고, 투병 중에 2021년에 재발이 되었다. 51살에 백혈병 걸려서 지금까지 백혈병과 싸우고 있다. 혈액암이라 애매한 잔인함을 가지고 있다. 신의 장난처럼 느껴질 때가 많다. 요양을 핑계로 52살에 제주에서 살기 시작하였다. 죽을 수 있다는 것과 죽지 않고 살아난다면 어떻게 살 것인지, 고민으로 보낸 세월이다.

그 번잡한 생각을 글로 끄집어내어 정리하였다. 죽음에 대한 준비과정이다. 내가 죽는다면 아버지 없이 살아갈 딸과 아들이 생각났다. 내 아버지도 5살 아들과 2살 딸을 두고 죽을 때, 같은 고민을 하였을 것이다. 하나하나 적어가면서 눈물이 앞을 가려 가슴이 먹먹해지기도 하였다. 50대를 백혈병 환자로 살았다. 죽음 앞에서는 모두 겸손할 수밖에 없다. 글은 나의 맘을 다스리기 위한 일기이기도 하지만, 나의 딸과 아들이 읽어주기를 바라는 글이기도 하다.

건강을 회복한다면 지금까지 살아온 것과 다른 방식으로 살아야 한다는 것을 알았다. 투병 생활을 하다 보니, 벌써 은퇴 시점의 나이가 되었다. 백혈병을 치료하고 완치되어 살아난다면, 죽는 날까지 어떻게 살 것인가? 제주도 숲속에서 명상하고 고민하고 답을 찾고자 하였다. 완치되어 내가 살아갈 수 있는지는 좀 더 지켜봐야 하지만, 남은 인생의 시간과 관계없이 답은 하나다.

"멋지게 늙고 재미나게 살자." 앞으로 죽는 날까지 멋진 늙은이로 재미나게 살고 싶을 뿐이다.

차례

딱
한 번 산다.

두 번
안 산다.

죽음이 눈앞이라면 허무

일만 하는 인생
이제 좀 놀자

닭 쫓던 개 된다.

놀다 죽자

경국현 저, 〈소주처럼 맑고 독하게 살고 싶었다〉 中에서

1. 고독, 나는 죽어간다.

평균 수명 이전에 죽는다면 사고 또는 질병이 원인이다. 생각할 시간도 없이 죽음이 이렇게 내 눈앞에 다가와 있는 것이 신기하다. 파도가 순식간에 덮쳤고 내 배는 산산조각으로 부서졌다. 언제 침몰할지 모르는 나무 조각에 처량하게 매달려 있다. 죽어가는 내가 무섭다. 나를 끔찍이 사랑하면서 살아와서 두려움이 더 크다.

사람은 태어나면 반드시 죽는다. 하루를 산다는 것은 그 시간만큼 죽음으로 가까이 가는 것이다. 평상시에 자기의 죽음을 진지하게 생각해 보는 경우는 거의 없다. 사람은 죽는다는 것이 사실이지만, 죽음을 생각하는 것은 몹시 불편한 것이다. 왜 그런지 모르지만 죽으면 귀신들 세계라는 것을 의식한 막연한 공포심이다. 그런 죽음이 나에게 찾아왔다. 아침에 아무 생각 없이 출근하였는데 점심때 갑자기 찾아왔다. 불행인지 행운인지 모르지만, 생각할 수 있는 시간이 나에게 있다. 심장마비와 같이 찰나의 시간에 생명을 버리고 죽음의 문턱을 넘은 사람들보다는 나에게 찾아온 죽음은 착한 놈일 수도 있다.

혈액 속에 혈소판이 거의 없어 지금 당장 쓰러져 죽어도 어쩔 수 없는 상황이라는 동네병원의 설명을 듣자마자, 성모병원 응급실을 찾아왔다. 이런저런 검사를 하였다. 오후 늦은 시간이 되자 급성 백혈병으로 판단되니 시간 지체하지 말고 입원 절차를 밟으라고 안내를 받았다. 오늘 아침만 해도 이런 일은 상상조차 할 수 없었다. 내 생명을 내가 통제 할 수 있는 상황이 아니었다. 죽음의 그림자가 응급실에 가득 차 있음을 알았다. 잇몸에서 피가 점점 더 많이 흘러나온다. 몸에 한기가 오면서 사시나무 떨듯 죽음의 공포를 처음으로 느껴본다.

단 몇 시간, 혹은 몇 분 뒤에 죽음이 기다리고 있다고 한다면 사람들은 처음으로 느끼는 감정에 당황과 분노, 절망과 회한에 자신을 맡기어야 한다. 그 시간은 살면서 한 번도 준비하지 않은 시간이다. 몇 번 연습하고 익숙함을 가지고 어머니의 자궁을 열지 않았듯이 죽음도 마찬가지이다. 탄생의 순간은 기억 부재로 인하여 사라진 의식이었다고 한다면, 죽음은 죽음의 순간까지는 기억으로 남는 의식의 세계이다. 죽음 앞에서 시간이 멈춘다면, 찰나의 시간은 살아온 삶의 흔적을 보기에 충분한 시간이다.

기다림은 철저하게 혼자 죽어가는 시간이다. 질병으로 인하여 완치를 기대하고 치료를 받는 행위는 시한부 인생임을 스스로 받아들이는 과정이다. 끝남이 선고된 인생으로 바뀌는 것이다. 이미 파괴되어 막을 수 있는 몸이 아니다. 치료가 잘되든 안되든 어차피 죽는다. 좀 더 살아보냐 마느냐의 문제였다. 치료를 거부하고 응급실 밖으로 뛰어나가면, 일주일도 지나지 않아서 나는 죽음의 몸으로 장례식장에 누워 있을 것이다. 여기서 기다리면 나는 좀 더 살아볼 수 있을 것이란 희망이 있다. 부질없는 짓인지 아닌지 헷갈린다. 선택의 순간은 바로 죽음을 준비하는 자신만의 시간이다.

사랑하는 자식과 부모 그리고 배우자가 나의 죽음을 대신할 수 없다. 응급실에 있는 나에게 밀려오는 죽음에 대한 잡념을 '고독'이란 말로 표현할 수 있다. 철저한 고독에 빠지는 시간이다. 지금껏 살아오면서 고독이라 생각하였던 그러한 감정이 아니었다. 그동안의 고독은 고독이 아니었다. 진짜 고독을 맛보고 있다. 써서 뱉어버리고 싶은데 꾸역꾸역 삼키고 있다. 처음 느끼는 감정이다. 지금 내가 죽을 수 있다는 사실을 실감하고 있다. 혼자서 죽어가는 그 시간은 고독이었다.

2. 허무, 울지마 안 죽어

입원실이 없다고 한다. 당분간 응급실에서 대기하여야 한다는 이야기를 들었다. 당장 입원이 가능한 것은 VIP 전용 병실이었다. 문제는 돈이었다. 하룻밤에 일백만 원이 훌쩍 넘는다. 응급실 의자에 앉아 죽어가면서도 돈 때문에 입원을 할지 말지 망설이고 고민한다. 어이가 없다. 자정이 가까워져서 VIP 병실로 올라가기로 하였다. 이래 죽으나 저래 죽으나 죽는다면 좋은 곳에서 죽자는 마음이다. 병실에 오니 '돈이 좋다'는 생각을 가지게 한다. 간호사들이 찾아와 인사를 한다. 불편한 것을 묻는다. 의료와 간호 행위의 VIP 대접을 받고 있다. 살면서 그 어떤 VIP 대접도 없었다. 죽음이 가까이 오고, 죽어가는 과정에 VIP 대접을 나 스스로 한다.

성공이라는 딱 하나의 그림을 그리기 위해 온 힘을 바쳤다. 일부러 어려운 길을 선택하여 도전하고, 쓰러지고 일어나고 그렇게 지금까지 살았다. 친구들은 매년 숫자에 따라 변해가는 내가 그린 그림을 기억하고 있다. 어떤 그림으로 보일지 모르지만, 대학교수 소리도 듣고, 부동산 개발업으로 사업을 확장도 하였다. 이제 겨우 그림을 완성하여 대견하다 생각하였다. 그렇게 그림을 그렸는데,

그림이 감쪽같이 사라졌다. 마술도 이런 마술이 없다. '내 손에 있다.' 생각한 그것이 사라졌다. 방금 무슨 일이 있었던 것인지 알 수 없다. 모래밭에 뿌려진 물이 순식간에 사라지는 것처럼, 내가 손에 쥔 것이 사라지고 있다.

시간이 흐른다는 것은 살아 있을 때만 가질 수 있는 느낌이다. 시간이 죽음의 경계선을 지나면 나는 아무것도 기억할 수 없다. 기억이 멈춘다는 것은 시간의 끝이고, 죽음이다. 시간은 숫자이다. 나에게서 51이라는 숫자로 끝날 수도 있음을 백혈병이 알려주고 있다.

기억은 내가 본 것이다. 우리가 보는 것은 사물에 부딪힌 빛에 대한 반사를 인지하는 것이다. 빨강, 파랑, 노랑 등 수많은 색을 보았고, 나도 나의 색을 다른 사람들에게 보여주면서 살았다. 나의 친구들 기억 속에 나는 다양한 색깔로 존재할 것이다. 내가 살아온 흔적이다. 멋진 그림을 그려보고자 빛을 따라 발버둥 쳤다.

내일 나는 없다. 이제 나의 기억은 없어질 것이다. 나는 그렇게 사라질 것이다. 친구들 기억 속에 있는 나도 차차 사라질 것이다. 숫자가 51에서 멈추는 것이다. 나를 지탱한다고 생각하였던 모든 것이 무너지고 있다. 원하는 그림을 가졌다고 생각한 그 순간에, 나라고 생각하였던 모든 것에 금이 가고 산산이 부서지고 있다.

새벽이 되었는데도 VIP 병실에서 잠이 오지 않는다. 돈, 명예, 권력, 사랑, 가족, 친구, 지식, 추억이 이제 조금씩 사라질지 모른다는 두려움이 왔다. 의식이 없는 상태였으면 좋았을 것인데, 의식이 더욱 또렷해져서 나를 괴롭힌다. 흔적도 없이 사라져 가는 나에 대한 허무였다. 물 들어오듯이 내 가슴에 파고들었다. 상상할 수 없는 감정이다. 다른 사람들의 기억은 중요하지 않은 것이었다. 내 기억이 중요한 것이었다.

눈물이 흐를 뿐이다. 일어나지도 않은 일을 미리 걱정하지 말라며 "울지마, 안 죽어"라는 말로 동생이 나의 손을 잡는다. 그래도 화가 난다. "말도 안 돼, 이런 법이 어디 있어, 왜 나한테" 어울해서 화가 나서 흘리는 눈물이다. 이렇게 될 줄 알고 오랜 시간 기다리면서 그림을 그린 것이 아니었다. VIP 병실의 첫날은 눈물이었다.

3. 삶의 전투를 받아들이며

삭발하였다. 무균실에 입원한 첫날, 머리를 깎았다. 거울에 비친 나의 모습이 내가 아닌 것 같다. 종교적으로는 속세의 인연을 끊고자 인간으로의 모든 욕망을 버리고 다시 태어나는 의미 또는 세속적인 유혹을 거부하고, 영적인 순수함을 추구하는 의지의 표현으로 본다. 사회적으로는 부당한 것에 저항하는 결연한 의지를 보여줄 때 삭발한다. 머리를 깎는 행위는 버림, 비움, 또는 죽음의 의미까지 부여할 수 있다. 나에게 삭발은 아무런 의미가 없다. 항암 부작용으로 머리가 빠지면 드문드문 있는 머리가 보기 흉해서 삭발을 하는 것이다. 그럼에도 삭발하는 그 순간에 감정이 묘하다. 내가 나에게 짠하다.

신에게 바칠 희생양을 최대한 경건한 마음으로 내가 준비하는 것처럼 느껴진다. 아브라함은 이삭을 희생양으로 삼았지만, 지금은 그 희생양이 나다. 이유라도 알았으면 좋겠지만, 왜 내가 이렇게 있어야 하는지 알 수가 없다. 선택지가 없는 현실을 보는 듯하다. 신 앞에 있는 나는 심판을 받을 뿐이고, 내가 여기 있는 이유는 그것이다. 우습게도 난 나의 신을 믿는 것이고, 신이 감동하는 방법을 찾아야 내가 죽지 않을 수 있다는 것이다. 아브라함을 보고 감동한 신은 이삭을 죽이지 않았다(창세기 22:12).

지금 내가 보는 세상은 가짜다. 모든 것이 잘못되었을 수도 있다. 딴 사람과 착각하여 이름이 바뀔 수도 있다고 생각한다. 의사가 찾아와서 혈액암 검사에 실수가 있어 오류가 생기었다고 사과하는 모습을 상상한다. 나는 아무 조건 없이 병원의 착오를 받아들일 준비가 되어 있다. 정신이 번쩍 든다. 머리에서 '쿵'하는 소리가 들린다. 아직 나는 죽을 준비가 되어 있지 않은 것이 확실하다.

항암이 본격적으로 시작되었다. 나 스스로 동기부여를 하여야 한다. 어둡고 두렵고 어려운 길을 가도, 헤쳐나갈 수 있다는 의지가 있어야 한다. 치밀하고 빠르고 예리하게 상황을 분석해야 한다. 나보다 나이 많은 환자를 보면 부럽고, 어린 환자들을 보면 불쌍하고, 안타까움에 그냥 눈물이 난다. 걸을 기운도 없어 잠만 자는 환자들도 보이고, 위급한 상태가 되어 집중 관리받는 환자도 보인다. '나도 저렇게 되어 가겠지'라는 생각에 겁이 난다. 하지만 쓸데없는 환상에 내 승부를 걸지 않는다. 내가 나에게 확신을 만들어 주고 싶다.

내 삶이 헛되지 않기 위해서 반드시 살아나야 한다. 좀 더 살아보고 싶다는 소망은 나보다 젊은 환자들을 보면 이기적인 생각일 수도 있지만, 지금 내가 나에게 줄 수 있는 가장 순수한 동기부여이다. 현실을 파악하여야 한다. 병원에서 도망칠 수 없다. 나를 살리기 위한 모든 조치를 병원에서 할 것이라 믿어야 한다. 나에게 설렁설렁은 없다. 여기는 병원이다. 할 수 있는 것은 다 해야 한다. 과잉 진료행위가 있어도 살수만 있다면 좋다. '살려줘'라고 소리치는 것은 '나'다. 치료 방법이 없으니 집에 가라고 하지 않은 것이 고마울 뿐이다. 고맙다는 말은 나중에 하면 된다.

어떻게 해야 질병과의 싸움에서 내가 이길 것 같은지 생각을 한다. 내가 원하는 것을 얻기 위해 우는 것은 버려야 한다. 나를 억압하는 것이 또 다른 나의 자아가 될 수 있으므로, 이를 통제할 힘을 가져야 한다. 쉽지 않은 전투이다. 내가 나를 향해 선전포고하고, 나를 이겨야 한다. 싸움은 무섭게 하는 것이다. 인정사정 보는 것은 싸움이 아니다. 많은 변화가 있을 것이다. 모든 것을 바꿀 힘은 나에게 있다. 불가능하다는 말은 누구에게도 하지 말자. 불가능하면 기적을 기다려야 한다.

삶의 전투는 하루 이틀에 끝나지 않는다. 언제 끝날지 모른다. 이기면 살고 지면 죽는 것이다. 모든 위험이 내 앞에 있는 것을 알고 삶의 전투를 받아들여야 한다. 싸워보지도 않고 정신 놓아 버리는 멍청이는 되지 않아야 한다. 대신 싸워 줄 놈도 없다. 혼자 싸우다 중간에 죽어도 할 수 없다. 신이 감동하도록 내가 할 수 있는 방법은 내가 쓸데없이 죽지 않는 것이다.

4. 당신이 지금 죽기를 바란다.

의지가 무엇인지 모를 어린 시절부터 신을 믿었다. '신이 있는가?'는 믿음에 대한 개인 선택이다. 평생을 교회 다니면서 삶을 살아오신 어머니가 위로의 말을 건넨다. '이만하길 다행이다. 그게 어디냐'며 신에게 감사해야 한다면서 위로한다. 기도 만이 질병을 고칠 수 있으니 신에게 기도하란다. 순간 화가 오른다. 아들의 질병을 신의 뜻으로 해석한다. 이것은 위로가 아니다. 죽는 것보다 살아 있는 것이 더 가치가 있다는 것을 부인할 사람은 없다. 그 말을 듣고 분노를 일으킨다. 어머니는 나보다 22년이나 오래 살았다. 난 어머니의 지금 나이만큼 살았으면 좋겠다. 그 말이 공포에 사로잡힌 아들에게 얼마나 뻔뻔한 말인지 모른다. 나보다 나이가 어린 젊은 사람이 죽음을 앞에 두고 나에게 그런 말을 하였다면, '그래 그럴 수도 있지' 난 그 말을 위로로 받아들였을 것이다.

위로한다면서 어정쩡한 나름의 이유를 만든다. 참담한 나의 현실을 자기 방식으로 해석한다. 그런 사람이 이상한 것이지, 내가 이상한 것이 아니다. 내가 지금 신을 찾아서 살려달라 부르짖는다면, 나 스스로 희망이 없이 죽음이라는 절망에 빠졌음을 인정하는 것이다. 신이 없다면 어둠만 있는 세상이므로, 두려워 말고 신을 믿어야만 한다고 하면 그것은 나에게 이유가 되지 못한다. 인간이 가지는 두려움은 신이 있어서 더 많이 생기는 것일 수 있다. 신이 있든 없든, 신에게 매달리는 것은 살아보겠다는 나의 의지를 스스로 포기하는 것이다. 나는 인간으로 가지는 나의 힘을 의심하지 않는다.

신에게 의지하는 것은 '영원'의 또 다른 세상이 있으므로, 설사 내가 죽는다면 그곳에서 다시 살아갈 수 있기를 기도하는 것이다. 지금 보이는 것이 다가 아니라고 이야기하는 것이다. 가짜인 현재는 대충 살다 죽고, 진짜는 죽음 뒤에 있으므로 그것을 믿는 것이 신의 뜻이라면 난 그 신을 버릴 것이다. 두려워하지 말고 죽으라는 것은 말장난이다. 그 말을 믿는 당신이 지금 죽기를 바란다.

고등학교 1학년 때, 교회에서 강원도 정선으로 여름 수양회를 갔다. 물놀이 시간이 되어 계곡에서 개헤엄 치면서 놀았고, 한 친구가 4~5m 떨어진 내 앞에서 물에 빠져 죽었다. 초등학교 때부터 절친이었던 친구의 죽음은 충격으로 다가왔다. 시체도 찾지 못하고 서울로 올라온 우리는 교회에서 장례 기간 내내 철야 기도하였고, 대성통곡을 하였다. 기도하는 중에 방언하는 친구가 있고, 실신하는 친구도 있었다. 다들 10대인 사춘기 시절이었다. 나는 '사랑의 하나님'의 어디에 있는지 물었다. '사랑'의 신이 왜 17살인 친구를 죽게 했는지 이해할 수 없었다. 그 뒤로 신을 부르는 나의 첫 마디는 '침묵의, 침묵의, 침묵의, 하나님'이었다. '아브라함, 이삭, 야곱의 하나님'은 나에게 없었다. '사랑의 하나님'은 더더욱 찾아볼 수 없었다.

그런 신이었을 지라도 어렸을 때는 신에 대한 사랑이 있었다. 나이의 숫자가 늘어나면서 신에 대한 사랑은 점점 사라졌다. 내가 하는 행위는 모두 죄가 되는 것이었다. 인간으로 열심히 살아가는 나는 중요하지 않았다. 신은 눈을 다른 곳으로 돌리지도 않는다. 죄를 짓는지 안 짓는지 두 눈 부릅뜨고 나를 보고 있다. 신에 대한 믿음으로 살아오면서 늘 하나를 선택했는데, 그것의 대부분은 자기기만의 선택이었다. 죽는 날까지 죄인으로 살아야 하는 운명이다. 불안에 떠는 삶이었다. 잘못되었음을 알았다.

신은 완전한 존재이므로 선한 존재로 나에게 나타나야 한다. 그러나 내 삶에서의 신은 선한 존재로 오지 않았다. 대부분은 학습된 신으로 나에게 존재하였다. 참고, 용서하고, 인내하고, 배려하고, 희생하고, 양보하고, 물러서고, 뺏겨도 할 말 없는 죄인처럼 평생을 머리를 숙이고 살 것을 요구하였다. 분노가 생기었다. 학습된 신은 나에게 의미가 없었다. 신은 한순간도 진심으로 나에게 온 적은 없었다. 병원에서 죽음을 준비하는 시간에도 신이 나에게 찾아온다. 신이 아직 나를 죽이지 않고 살려주어서 내가 있는 것이라는 것이다. 그 말을 저주한다.

5. 약물치료. 또 하라면 죽을 거야

지금 나는 내가 아니다. 내가 먹고 마시고 보고 느끼는 것들이 새롭게 다가온다. 먹은 것이 없는데, 배가 고프지도 않다. '나는 누구인가?' '살기 위해서 먹는가? 먹기 위해서 사는가?' 중학교 사춘기 시절에 친구와 이런 이야기를 나누면서 낄낄거리던 기억이 있다. 꿈속에 있는 것 같다. 약물이 이 정도로 나의 육체를 망가뜨릴지 몰랐다. 옆 침대에 누워있는 환자를 보고 예상은 했지만, 생각보다 강한 무기력이 왔다. 불과 몇 시간 전에 꿈을 꾸었다. 꿈속의 나는 9살이었다. 어머니를 따라간 시장에서 짜장면을 사 먹으면서 엄마와 이야기를 나누었다. 간호사가 나에게 소리쳤다. "정신 차리세요" 그 소리에 꿈속의 9살 나는 사라졌다. 횡설수설 비몽사몽을 처음 겪어보았다. 내 정신에 균열이 일어나고 있다. 정신이 아니라 의지가 더 맞는 말인지도 모르겠다. 벽이 무너지는 것이다. 그 사이로 낯선 바람이 훅 불어오는 것이다.

누구나 죽음 앞에서는 철학자가 된다고 한다. 나는 지금 내가 누구인지 힘을 짜내어 생각하고 있고, 생각하면서 '나는 생각하고 있다, 아직 죽지 않았다.'라고 혼잣말을 하면서 진부한 철학자를 흉내 내고 있다. 지금 내가 있는 이곳은 꿈속이 아닐까? 약물에 무너져 가는 육체는 내가 아닌 것 같다. 생각하고 있는 내가 나라는 존재를 강하게 붙잡고 있는 듯하다. 내가 살아온 기억들이 드문드문 연결된다. 내 이름을 낯설게 불러보고, 눈물을 흘리면서 딸과 아들의 이름을 불러본다. 그렇게 정신을 잡아보면서 꿈인지 아닌지 스스로 물어보고 있다. 항암약물에 대한 육체적 고달픔이 생각보다 힘들다. 무조건 버텨야 하는 세상이 지금 내 앞에 펼쳐지고 있다.

'정신 놓치지 말고, 꽉 잡아라.' 말이 있다. 쏟아지는 무기력은 내 의지와 관계가 없다. 침몰하고 있다. 아무 생각이 없다. 육체와 정신이 하나인 듯 아닌 듯, 무너져 가고 있다. 육체가 정신을 끌고 가는 것인지, 정신이 육체를 끌고 가는 것인지 나는 모르겠다. 미꾸라지처럼 육체에서 정신이 도망가고 있다. 지금 내 육체와 정신은 무기력이 지배하고 있다. 정신이 혼미해지면서 잠이 온다. '이것이 죽어가는 것인가?' 생각하면서 갑자기 내가 특별해진다. '이렇게 끝날 수도 있구나' 생각하자 편안한 마음이 다가온다. '산 자들이 알아서 정리하겠지' 긴장의 끈을 놓아 버린다. 질병은 물리적인 육체를 죽이고 있다. 육체가 사라지면 정신도 사라지는 것인가? 사라지는 것으로 보는 것이 맞을 듯하다. 그런데 이 생각도 귀찮아진다. 힘들어서 스스로 눈을 감아버린다.

치유의 길이 너무 멀고 닿지 못할 곳에 있다 할지라도 나는 그 길을 가야만 한다. 하지만 이것이 항암약물 치료의 부작용으로 몸에서 반응이 나타나는 것이라면, 두 번 다시 하고 싶지 않다는 생각이 밀려온다. 또 한다고 하면 차라리 죽는 것이 좋을 것 같다. 첫 경험이라서 얼떨결에 멋모르고 항암을 하는 것이다. 죽어가는 자에게 '힘내'는 공허한 소리였다. 말 같지 않은 말을 하는 것이다. 모든 슬픔은 시간이 지나면 사라진다. 행복도 마찬가지이다. 왔다가 사라지고, 있다고 생각했는데 없는 것이다. 지금 이 고통도 지나갈 것이다. 그 생각만이 나에게 위로된다. 내 몸이 버텨주기를 바랄 뿐이다.

팔다리 움직일 의지는 없어도 정신은 그대로일 때가 있다. 내가 정신을 차린 것이다. 나에게 영혼이 있다면 그 영혼은 정신의 모습으로 있을 것이다. 지금 꿈이라면 나의 육체가 여기서는 사라져도 나의 영혼은 다른 곳에서 기지개를 켜면서 깨어날 것이다. 하지만 꿈에서 깨어난 사람을 본 적도, 그런 사람의 말을 들어본 적도 없다. 내가 꿈에서 깨어나기 전에는 나도 모른다. 난 아직 꿈속에 있기 때문이다.

6. 무균실, 창밖의 사람들과 나

　유리창을 사이에 두고 마주 앉았다. 너는 창밖, 나는 창안 무균실에 있다. '힘내고 마음 단단히 먹어'라는 말을 한다. 창밖의 있는 사람이 해 줄 수 있는 말은 이 말 외에 딱히 없다. 공허한 메아리이다. 너무 상투적이다. 입원비에 쓰라면서 봉투를 주고자 한다. 우리는 겸손해야 한다. 창 안에 있는 사람이 위로받는 것이 아니라, 창밖에 있는 사람이 위로를 받는다. 얼굴을 마주함으로 너와 나의 인연에 할 일을 다 한 듯 평안을 얻는 것이다. 위로받는 것은 나가 아니라 너였다. 나는 돌아서서 죽음의 그림자를 벗하여 누울 것이고, 너는 가는 길에 커피를 마신다. 나는 늘 새로운 얼굴을 향해 안심하라고 말한다. 그래서 그런 것인지도 모르지만 반복된 너의 위로는 거의 없다. 새로운 얼굴을 유리창 너머로 매일 본다. 그러다가 가끔 되고, 이제는 그것도 없다. 병실에 누워있는 나에 대한 위로는 내가 해야만 한다. 벌써 잊혀진 내가 된 것이다.

　나도 그랬다. 26살에 병든 할아버지를 지척에 두고도 찾아가지 않았다. 정신이 돌아오시면 장손에 대한 그리움과 당신 삶에 대한 한 맺힘으로 나를 찾았지만 바쁘고, 귀찮고, 딱히 할아버지와 할 이야기가 없다는 이유로 미루었다. 할아버지 호흡이 다 되었을 때, 찾아가서는 내 할 도리를 다한 듯 나를 위로하였다. 그렇게 할아버지는 돌아가시고 나는 맏상제가 되어 장례식을 준비하였다. 발인 날, 모두가 잠든 이른 새벽에 내 직계혈육이 죽음으로 사라졌다는 슬픔이 새벽에 목놓아 울도록 하였다. 그리고 3일 뒤, 나는 노래방에서 노래하였다. 그런 것이 인생이다. 그래서 나는 나를 기억해 주었다는 창밖의 사람에게 고마울 뿐이다. 기억하는 동안은 너에게 있어서 나는 살아 있는 존재이기 때문이다. 사람이 죽으면 몇 년을 기억해 줄까? 죽은 사람에 대한 기억은 연기처럼 짧은 시간 안에 사라진다. 다들 기억하지 않는 핑계가 있다. 그렇게 흔적을 찾을 수 없게 사라지는 것이 한 사람의 삶이다.

　개는 자신이 죽는다는 죽음의 냄새를 맡는다고 한다. 과학적으로 알 수는 없지만, 그럴 수도 있다는 생각이 든다. 사람도 언젠가는 죽는다는 것을 본능적으로 알고는 있지만, 죽음을 남의 일처럼 생각하고 산다. 일부러 피하는 것이다. 그래서 그런 것인지 모르지만, 우리는 사는 동안에 '쓸모있는 놈'이 되고자 노력한다. 부모에게 인정받고, 자식에게 존경받고, 배우자에게 사랑받고자 한다. 이 셋의 관계가 미묘하고 복잡해지면서 애증으로 뒤죽박죽 인생이 된다. '쓸모없는 놈'이란 말은 모욕적인 폭언이다, 아니라고 항변할 수 있는 용기가 없는 자에게는 죽음으로 끌고 갈 수 있는 무서운 말이다.

'쓸모' 있음과 없음은 사회적 관계에서 내가 뭔가 기여하고 있다는 것이다. 그렇게 보면, 죽을병이 있는 나는 쓸모없는 인간이 되어 버렸다. 아들로, 아버지로, 남편으로 친구로, 동료로, 선후배 등으로 살아온 내가 그냥 짓뭉개 져 가는 것이다. 창밖에 사람들에게 내가 침몰하고 있는 것을 보여주고 있다. 창밖의 새로운 얼굴이 늘어날수록 용기가 생기는 것이 아니라 점점 힘이 빠진다. 외롭고 쓸쓸한 표정을 나에게 보여준다. 머리카락이 듬성듬성, 눈이 휑하고, 앙상한 나를 안쓰럽게 본다. 말도 안 되는 짧은 순간에 나에게 새로운 환경이 만들어지고 있다. 창밖의 사람들이 나를 포기하지 않아야 하는데, 그들이 나보다 먼저 나의 삶을 포기하고 있다. 통과의례처럼 창밖의 사람들이 작별 인사하듯이 나를 찾아온다.

나는 아직 싸움을 시작도 하지 않았는데, 나의 존재를 귀히 봐주지 않고, '불쌍해서 어쩌나'하는 마음으로 내가 가진 백혈병만 보고 나를 찾아온다. 그들과 함께 인생을 살 수 없는 나는 쓸모없는 인간이 된 것이다. 희망이 없을 수 있다는 것을 나도 안다. 하지만 그렇게 자기 속마음을 들키지 않으려고, 아닌척하는 창밖의 모습을 보고 있는 내가 더 힘들다. 긴장을 무균실 밖에서 하고 있다. 정작 창안에 있는 나는 덤덤하다. 내가 내 입으로 죽음을 기다린다고 이야기는 하지 않을 것이다. 그런데도 무균실 밖의 너를 보면서 나의 미래가 어둠으로 떨어지는 느낌이다. 내가 나를 위로해야 하는 이유이다. 무균실 창 안과 밖은 죽음으로 나누어지는 공간인 듯하다.

7. 상상, 병원 놀이

힘없는 육체를 대신하여 정신은 얼마든지 즐거움을 추구할 수 있다. 정말 하찮은 것이지만 병실에서 내가 할 수 있는 것은 누워서 끊임없이 상상을 할 수 있다는 것이다. 입원실의 지겨움을 탈출하기 위해 상상을 한다. 사방이 막혀있는 이곳은 죄의 심판을 받아 사회로부터 격리된 감옥이 아니다. 꾸역꾸역 올라오는 감정을 다른 것에 집중하게 해야 한다. 자기 연민에 빠지지 않아야 한다. 나를 안아줄 사람은 없다. 내가 나를 안아주면서 놀아야 한다.

상상이 나에게 놀이가 되어가고 있다. 사춘기 시절 짝사랑했던 여학생을 끄집어내어 이루지 못한 사랑을 완성한다. 새로운 스토리로 아름다운 여인들을 상상으로 불러낸다. 사업이 확장되어 돈방석에 앉아있다. 빌딩을 짓고, 실버타운을 개발한다. 정치에 뛰어들어 군중들을 선동하기도 한다. 상상은 또 다른 상상으로 연결되어 하루가 금방 간다. 약물에 취해 누워있는 내가 할 수 있는 유일한 유희이다. 정신이 영혼이고 우주이다. 불멸인지 아닌지는 모르지만, 나의 의식이 있는 한 나의 정신은 무한대로 확장되어 나갈 수 있다. 플라톤은 감각으로 느끼는 현실의 세계를 부정하고, 이성으로 느끼는 세계가 진짜임을 주장하였다. 지금 나의 상상은 감각적 사고인지, 아니면 이성적인지 모른다. 중요하지도 않다. 나는 상상 속에서 진짜를 만나고 있는 것으로 믿고 노는 것이다.

내가 태어났고, 내가 죽어가는 것이라면, 나에게 있어서 시간은 처음과 끝으로 정의된다. 태어날 때 첫울음으로 시작하였고, 죽음으로 마지막 호흡이 멈추면서 끝이 난다. 시간이 무엇인지 나는 알 수 없지만, 시간은 1차원이다. 일직선의 숫자로 표현한다. 천정이 보인다. 머릿속의 상상을 끄집어 그림을 그려보면서 소름이 돋는다.

병실의 천정은 사각형이다. 정사각형으로 각각의 변이 1이면 대각선은 $\sqrt{2}$이다. 대각선의 점 하나가 시작점이면 다른 한점은 끝나는 점이다. $\sqrt{2}$는 무리수이다. 3.14142135623 7309504880 1688724209 6980785696 718753769⋯⋯ 끝이 없는 수이다. 지금 나는 사각형을 보고 있다. 눈에 보이는 대각선은 분명 시작과 끝이 있다. 그러나 숫자로 표현하면 끝이 없다. 모순이 생긴다. '이게 무엇이지'라는 상상은 우주로 향한다. 실재하는 것은 사각형과 $\sqrt{2}$이다. 그런데 $\sqrt{2}$는 어디에 있는 것인가? 눈에 보이는 현실의 세계는 가짜이고, 이성으로 보는 이데아가 진짜라는 플라톤의 개똥철학이 진실로 다가오는 순간이다.

나는 숫자로 기억되었고, 그렇게 남들처럼 살았다. 질병으로 나의 삶을 끝내기에 51이라는 숫자가 너무 적어서 화가 나기도 하고, 억울하기도 하였다. 그런데 이것이 끝이 아닐 수 있다고 플라톤이 나에게 개수작을 부리고 있다. 실재하는 것은 나의 육체와 정신이다. 그런데 정신은 어디에 있는 것인가? 뭔가 설명이 안 되는 무리수 $\sqrt{2}$처럼 나의 시간도 이미 죽음을 넘어 영원히 존재하는 또 다른 세계로 가고 있는지도 모른다. 망망대해에서 노아는 새로운 육지를 찾고자 새를 이용하였고, 새가 돌아오지 않으면 또 다른 세계가 어딘가에 있다는 것이었다(창세기 8:12). '아뿔싸' 내가 버린 신을 다시 찾아야 하는지 모른다. 신은 욕심이 많은 존재였다. 눈에 보이는 현실뿐만 아니라 상상 속의 그 세계도 지배하고자 한 것이다. 그런데 그 신이 가짜 신이고, 진짜 신은 아직 내가 못 만나고 있는 것이면 어떡하지? "일어나 가라. 네 믿음이 너를 구원하였다 <누가복음 17:19>." 는 그 말을 믿고 싶어진다.

8. 백혈병, 결혼 약속은 어떻게 하지

사랑하고 싶어 일하듯이 열심히 그 감정에 빠져든다. 사람은 혼자 살다가 죽는 것이 두려워 떠나간 사랑을 잊고, 새로운 사랑을 찾는다. 사랑 앞에 서 있는 인간은 탐욕스럽고, 변덕스러우며, 위선적인 존재이다. 자연스러운 본능일 수 있다. 그렇다고 이러한 본능들이 사랑이란 이름으로 무조건 이해될 수 있는 것이 아니다. 조급하게 사랑에 빠지거나 선택할수록 위험에 빠진다. 천사의 날개를 달고 있는 사랑도 있지만, 악마의 모습도 있다. 사람은 자신의 삶이 불리하다고 생각되면 지키고자 했던 사랑을 버리는 존재이기도 하다. 냉혹한 현실에서 사랑으로 위장하여 속고 속이며 살아남는 것이 중요하기 때문이다.

항암 치료하는 무균실의 환자들은 머리 보호장구를 무조건 착용하여야 한다. 언제 어떻게 정신을 잃고 쓰러질지 모르기 때문이다. 입원한 병실에 나의 침대는 화장실 옆이다. 화장실에서 벽에 뭔가 부딪히는 소리가 들렸다. 누군가 나오는 실루엣이 보였다. 순간 나의 침대 커튼이 젖혀지면서 젊은 환자가 쓰러진다. 3주 전쯤에 입원실에 들어온 31살의 남자였다. 반사적으로 몸을 일으켜 쓰러지는 환자의 머리를 잡았다. 비상벨을 누르자, 간호사들이 허겁지겁 뛰어왔다. 항암 약이 투여되면서 나타나는 부작용은 기본적으로 다 비슷하지만, 면역성이 떨어지면서 사람마다 부위별로 심한 정도가 다르게 나타난다. 그중에 위험한 것의 하나가 폐렴이다. 젊은 친구는 폐렴으로 힘들게 항암 부작용을 겪는 중이다. 화장실에서 나오면서 순간적으로 정신을 잃은 것이다.

복도에 있는 휴게실에서 젊은이를 만났다. 나에게 고맙다면서 과자를 건네준다. 초등학교 교사라고 자기를 소개한다. 봄에 결혼 날짜를 잡아 놓았는데, 갑작스럽게 백혈병으로 결혼을 연기한 사연을 이야기한다. 삶에 대한 두려움과 연인에 대한 미안함, 그리고 어떤 결정을 해야 하는지에 대한 고민이 있다. 운명의 여신이 가혹한 모습으로 이 젊은 연인에게 다가온 것이다. 사랑하고 있지만, 상황이 바뀌어 버린 것이다. 위험을 감수하고 사랑을 선택하기가 어려운 것이다.

백혈병으로 인한 이별과 죽음을 극복하고 사랑으로 결혼을 할 수 있다고 하면, 어느 쪽을 받아들일 수 있는지 설득하는 것은 쉬울 수 있지만, 설득된 마음을 사는 동안에 유지하는 것은 어려운 일이다. 그 두려움이 크면 클수록 더욱 어려운 일이다. '사랑'만 있으면 된다는 것은 상대와 자신을 속이기 아주 쉬운 말이다. 수년 또는 수십 년을 부부로 산 사람들도 죽을병 앞에서는 사랑보다는 책임감이 더 크다. 이 젊은 연인은 아직 하루도 시작하지 않았다.

두려움으로 사랑을 밀어낼 수도 있지만, 반대로 사랑을 더 움켜쥘 수도 있다. 상대에게 '모든 것을 버리고 오라'는 위선을 가질 수도 있다. 내가 '모두 버리고 당신에게 갈게' 희생으로 포장할 수도 있다. '네가 모두 버리고 오면, 나의 모두를 네가 가질 수 있다.'라고 한다면 이것은 말장난이다. 사랑이 말장난이 되는 것이다. 모든 것을 버리는 행위는 회귀 불가능한 것이다.

남자는 죽음 앞에 서 있고, 여자가 남자에게 간다. 아니 남자가 여자를 부른다. 남자가 죽으면 여자는 어디로 돌아갈 것인가? 남자가 살면 여자는 남자의 모든 것을 갖는 것인가? 남자와 여자 누가 모든 것을 버리는 것인가? 사랑은 무엇인지 정의하기는 너무나 어려운 문제이다. 겉으로 드러나는 사랑은 수많은 미사여구로 표현되지만, 결국은 감성을 가지고 노는 유희이다. 보고 싶고, 만지고 싶고, 같이 있고 싶은 것이다. 한결같이 그 감정을 유지하기 어려운 이유이다.

운명의 여신은 회귀 가능한 자와 불가능한 자를 만나게 하고 있다. 한사람이 또 다른 사람을 운명의 바다로 끌고 들어간다. 돌아갈 곳이 있는 자는 언제든지 손쉽게 돌아갈 수 있다. 결국 돌아갈 곳이 없는 자가 상처를 받을 수밖에 없다. 타인의 심상을 자극하여 정신적인 구속으로 묶어두는 소유욕을 운명적인 사랑으로 포장하는 것이다. 사랑을 갈구하는 인간의 탐욕을 서로가 적절히 속이고 속는 것이다. 진짜 사랑은 없다고 단정하면 너무 슬프니 찾아보기 어렵다고 해두자. 신도 인간을 그렇게 사랑하지 않는다. 늘 전제조건이 있다.

9. 포기, 죽음을 준비한다.

준비된 죽음, 초대된 죽음은 없다. 장례식장은 처음부터 끝까지 슬픔이다. 슬프지 않아도 장례식장에서는 슬픈척해야 한다. 최대한 숨죽이며 보내는 장소이다. 어떨 때는 이러한 가식이 우습기도 하다. 죽음 이후에 진짜 세계가 있어 영원한 삶을 산다고 믿는다면 죽음은 슬픔의 시간이 아니다. 탄생의 만남보다 죽음의 이별이 축복받은 시간이어야 한다. 하지만, 우리는 '좀 더 살다 죽지' 하면서 세상에 더 살지 못한 죽음을 슬퍼하고 애통하고 안타까워할 뿐이다.

인간에게 죽음은 어둡고 불길한 것이며, 끝이라고 의식하고 있다. '시작'이라고 하면 준비해야 하는데, '끝'이므로 우리는 죽는 날까지 죽음을 준비하지 않는다. 그런 내가 죽음을 준비하고 있다. 어느 날 갑자기 죽을 수도 있는 병이 찾아왔고, 처음으로 죽음을 생각하게 하고 준비하게 한 것이다. 준비는 특별한 것이 없다. 그냥 어쩔 수 없음을 알고 삶에 대한 미련을 버리는 것이다. 버리고 포기하고 비우는 것이 다다. 누군가를 만나고 하는 그런 정리작업이 죽음에 대한 준비가 아니다. 준비라고 하지만 준비할 것이 없다. 참 쉽다.

삶을 포기하는 순간에 죽음의 준비가 시작되는 것이다. 그 준비는 우울하고 슬프고 절망적인 기분이다. 나와 같은 경우가 아니라면 생각지도 못한 날 불현듯 너에게 죽음이 찾아올 것이다. '준비는 개뿔' 찰나의 순간에 끝을 볼 것이다. 죽은 자에 대한 '정리'만 남은 자의 몫이다. 죽었는데 또 다른 죽음이 찾아오지 않는다. 태어나는 것도 한 번이고, 죽는 것도 한 번이다. 살아 있음으로 죽음이 오는 것이다.

죽음을 준비한다는 것은 상처가 아니다. 처음에는 충격으로 다가왔지만, 병실 생활이 길어지면서 죽음이 새롭게 이해된다. 하얀 도화지처럼 깨끗하게 인생을 사는 사람은 없다. 선함과 악함이 늘 섞여 있다. 인간쓰레기처럼 사는 사람들도 많다. 나도 그렇다. 겉으로는 아닌척해도 속으로는 이기적이고, 충동적이고, 본능적이고, 파괴하면서 추악한 모습으로 살았고, 스스로 망가지는 모습 속에 나를 숨기고 살아온 적이 있다. 어떨 때는 남의 선함을 악함으로 갚고, 이용하고 뺏으면서 그들의 눈물을 모른척하였다. 어떻게 살아왔든 죽음을 준비할 수 있는 것은 지금껏 살아온 삶의 흔적과는 관계가 없이 내가 가장 겸손하게 준비할 수밖에 없다. 어차피 아무도 없는 길을 계속 걸어갈 수밖에 없다면, 징징거리면서 가는 것보다 웃으면서 가는 것이 좋다.

사람은 살아있다는 의식을 스스로 끊어 버리기 어렵다. 공(空)의 깨달음을 얻어 부처가 되면 가능할지 모르겠다. 부처는 나에게 무소유의 삶을 요구하지만, 나는 부처가 아니다. 부처처럼, 그렇게 열반으로 간다면 준비된 죽음이다. 석가모니 이후에 부처 같은 사람이 또 있었는지 모르겠다. 예수 이후에 예수 같은 사람은 없었다. 나는 그저 가여운 중생이고, 신의 사랑이 필요한 인간일 뿐이다.

인간이 죽음을 준비하는 것 자체가 불가능에 가까운 것이다. 불가능은 기적으로 나타난다. 내가 죽음을 준비하는 것은 기적에 가까운 일이다. 죽음이 다가왔음을 알고 죽는 것 하고, 죽음이 다가왔음을 모르고 죽는 것 하고 어느 쪽이 더 행복한 죽음이 될 것인지에 대해서도 우리는 모른다. 먼저 죽은 사람이 이야기해 주는 것을 보지 못했다. '한번'이라는 의미가 무겁게 다가온다. 우리가 죽음을 알 방법은 없다. 죽음 이후를 준비해 보고자 할수록 점점 미로에서 길을 잃는다. 우리는 죽는 순간까지 살아 있음을 느낄 뿐, 준비를 할 수 없는 것이다. 내가 할 수 있는 준비는 딱 하나이다. 딸과 아들이 보고 싶다는 것이다.

10. 성공, 나 죽는데 무슨 의미

　사람은 살아가면서 대부분 비슷한 철학을 공유하면서 산다. 인정하든, 하지 않든 관계없다. 살면서 가장 중요하게 생각하는 것은 돈과 건강이다. 하지만 이 두 가지에서 대부분 사람의 관심은 돈이다. 솔직히 평상시의 관심은 오로지 돈이다. 건강은 나처럼 죽을병 걸리고 나서야 '아차'하는 것이다. 이것은 죄가 아니다. 성공의 문을 여는 열쇠는 돈이다. 부자가 되었다는 말은 성공한 사람인 것이다. 행복하다는 것은 성공과 다르지만, 행복도 성공과 비슷하게 해석한다. 행복도 돈으로 살 수 있다는 것이 현실이다. 돈 없는 사람들이 스스로 위로하기 위해서 '행복은 돈으로 살 수 없다' 말을 하면서 자기만족을 할 뿐이다. 부자들도 행복하고, 빈자들도 행복할 수 있다. 맞는 말이지만, 하나를 선택하자면 나는 부자로 행복하게 살고 싶다. 돈 많은 부자로 성공해서 행복하게 살고 싶다는 것은 너와 내가 추구하는 삶의 방향이다.

　성공과 행복에 대한 욕심으로 우리는 산다. 남보다 더 갖기 위해 하루하루 분초를 다투며 산다. 열심히 일하는 것은 돈을 벌기 위한 것이다. 돈을 받지 않아도 '괜찮아'하면서 평생 일하는 사람은 없다. 무보수로 일하는 것은 없다. 어떤 직업을 가지든 물질적 보상과 심리적 보상이 적절히 섞인다. 스님, 목사, 신부, 정치인, 예술인 및 사회적 봉사를 운명으로 받아들이는 개인이나 단체도 금전적 보상을 일정 부분 받고 있다. 물론 이들은 심리적 보상이 더 크다고 하지만 모를 일이다. 표면적으로는 심리적 보상을 추구하는 삶이라고 하지만, 속으로는 일반인보다 더 손쉽게 물질적 보상을 얻을 방법으로 그런 직업을 선택할 수도 있다. 일반인이 상상하기 어려운 부자로 사는 사람들도 이들 중에 의외로 많다. 일반인은 당연히 심리적 보상보다 물질적 보상을 더 추구한다. 나도 그렇게 살았다.

삶 자체가 소유이고, 욕심이다. 우주에 나 혼자 살아간다면 욕심이 있을 수가 없다. 눈에 보이는 것이, 다 내 것이기 때문이다. 나 혼자 살지 않기 때문에, 욕심이 어쩔 수 없이 생기는 것이다. 너보다는 내가 가진 것이 더 많아야 한다. 하지만, 그 어떤 욕심도 죽음 앞에서는 의미 없다. 얼마나 의미 없나 생각 해 보면 '얼마나'에 담을 수 없는 크기이다. 성공, 행복, 돈, 부자 등의 모두는 내가 살아있을 때만 가치 있는 것이다. 이 모든 것이 부질없이 느껴지는 것은 내가 지금 죽어가기 때문이다.

5살에 아버지의 죽음, 17살에 친구의 죽음, 26살에 할아버지의 죽음, 각각의 나이가 되었을 때 내가 본 죽음이다. 지금까지 남의 죽음을 보았다면 51살은 나의 죽음이 나를 찾아온 것이다. 주어진 인생의 길이가 물리적으로 다르다. 오래 사는 것이 행복한 것인가? 힘들고, 지치고, 아프고, 배고프고, 죽지 못해 사는 인생은 행복하고는 거리가 멀다. 오히려 그런 삶의 고달픔 없이 일찍 죽는 것이 더 행복한 것일 수도 있다.

불행하게 오래 살 것인가? 행복하게 짧게 살 것인가? 어떤 삶을 살 것인지 신이 묻는다면 다들 어려운 숙제 앞에 앉아 똥 마려운 강아지처럼 낑낑대고 있을 것이다. 하지만 답은 정해진 것이다. 개똥밭에 굴러도 지금 살아있는 것이 좋다는 것이다. 불행과 행복은 동전의 앞뒷면이기 때문이다.

절대 권력을 가진 진시황은 영생불사를 하고자 하였다. 진시황의 명을 받은 서복이란 인물은 3,000명의 동남동녀를 거느리고 약초를 구하러 제주도까지 왔지만, 약을 구하지 못하고 서쪽으로 돌아갈 수밖에 없었다. 서쪽으로 돌아갔다는 뜻의 서귀포는 그렇게 생긴 지명이다. 그런 노력을 했음에도 진시황은 49세의 나이밖에 살지 못하였다.

절대 행복, 절대 불행에 대한 총량이 있다면, 일찍 죽는 것이 불행한 것이, 아닐 수도 있다. 그렇다면 얼마나 다행인가? 나는 51살, 반백 년을 살았다. 나의 아버지는 32살까지 살았는데….

11. 나, 오늘만 사는 놈이다.

죽음의 과정을 넘는 것은 나의 시간이 멈춘다는 것이다. 미래가 없다는 것이다. 그렇다면 과거의 나와 현재의 나만 있는 것이다. 재미있게 보았던 영화 '아저씨' 속의 대사가 기억에 남는다. "너희들은 내일만 보고 살지, 내일만 보고 사는 놈은 오늘만 사는 놈한테 죽는다. 난 오늘만 산다." 이 대사를 가만히 들여다보면 오늘 죽는다는 것이다. 오늘 죽어 갈 놈과 내일도 살아야 하는 사람이 싸운다면 한 놈은 무조건 질 수밖에 없는 것이다. 결국 내일 살아야 하는 놈에게 내일은 없는 것이다.

어제, 오늘, 내일은 과거, 현재, 미래이다. 나는 어제와 오늘을 살았지만, 내일도 살아 있을지는 모르는 것이다. '나는 나다.'라는 말을 하면서 존재감을 뽐내지만, 어제의 나와 오늘의 나는 같은 나인지 모르겠다. 의도하지 않아도 병실에 누워있으면 자연스럽게 떠오르는 생각들 대부분은 어릴 적 나다. 약물에 취해 정신이 혼미할수록 더욱 그런 현상이 있다. 시골에서 소꿉친구와 흙장난하고, 개울에서 미꾸라지 잡고, 또래의 동네 아이들과 다방구를 하고, 두 살 터울의 막내 삼촌을 쫓아다니면서 참새를 잡아먹고, 메뚜기를 구워 먹었던 기억들이다.

어릴 적의 나는 과거 속에 있는 나라는 아이다. 그 아이가 지금의 나와 같은 것인지 모르겠다. 팔뚝에 연결된 바늘로 들어가는 이런저런 약물을 멍하게 보고 있으면 자꾸만 과거의 나를 보러 간다. 초등학교, 중학교, 고등학교, 그리고 20대, 30대의 과거의 나를 찾아간다. 삶을 이해하지 못해 억울하다고 불장난하던 10대 시절, 기댈 언덕이 없어 어떻게 인생을 살아야 할지 방황하던 20대, 하는 일마다 뜻대로 되지 않아 술로 위로했던 30대, 그리고 40대에 뭔가 이룬 듯했는데, 51살이 되면서 죽음을 맞이하는 것이다. 과거를 생각하면 웃음이 나와야 하는데, 나는 웃음없이 싸늘한 눈빛으로 과거의 나를 바라본다. 죽기 전에 생각나는 사람이 나라서 그런 것인지도 모르겠다.

시간에 따라 육체적 변화가 있었듯이, 인생을 살아오면서 이성과 감성이 변하였다. 지식과 경험이 쌓여 갈수록 어제의 나는 지금의 나가 아니다. 아니 변한 것이 없는데 내가 변했다고 착각하는 것일 수도 있다. 안타깝게도 미래의 나를 보러 갈 수는 없다.

과거로 뒤돌아 가보니, 어릴 적에 가슴 깊은 곳에 묻어둔 상처는 살아오면서 나의 모습을 이상한 사람으로 변하게 하였다. 착각인가 아닌가 헷갈린다. 애증으로 나타나는 사랑과 분노는 잊을만하면 번갈아 나타났다. 살아오면서 내 맘에 각인된 상처들은 즐겁고,

분노하고, 기쁘고, 증오로 뒤범벅된 나를 만들었다. 과거를 버려야 하는데, 버리지 못해 나의 발목을 잡고 나의 마음을 휘 젖어 놓는다. 나이를 먹으면서 모습이 변했듯이 마음도 다스려야 했었는데 그러지 못한 것이다. 어쨌든 과거의 나와 지금의 나는 다른 사람이다. 어제는 어제일 뿐, 오늘은 다른 것이다.

생일날 신작로에서 막내 삼촌, 고모하고 놀고 있었다. 흙먼지를 뒤로 하고 달려오는 영구차는 5살이 된 내 앞에 멈추었다. 흙길에서 놀고 있는 어린 나에게 다가온 것은 아버지의 죽음이었다. 내 생일에 아버지의 죽음이 왔다. 상복을 입고 허망하게 나를 쳐다보는 어머니의 모습, 절대 잊을 수 없는 내 기억의 시작점이다. 이보다 빠른 어린 시절의 나는 기억에 없다. 그 이후에 연결되는 기억은 뒤죽박죽이다. 그 아이가 지금의 나를 보면서 '너 누구니?'라고 묻는다. 지금의 날 꾸짖는 듯한 아이의 눈빛이 당황스러울 뿐이다. 날 알고 있는 듯한 아이가 부담스럽다. 과거의 나는 지금의 나가 아니다. 과거의 나와 현재의 나는 서로를 믿을 수 없는 존재로 인식하는 것이다.

그렇다면 오늘 죽어서 미래가 없다고 내가 불안하지 않아도 된다. 어차피 미래의 나는 지금의 나가 아니기 때문이다. 과거, 현재, 미래의 의미가 없는 것이다. 굳이 의미를 부여하고자 한다면 지금의 나에게 있다. 과거의 나도 있고, 지금의 나도 있고, 미래의 나도 있지만 실재하는 것은 지금의 나이다. 과거와 미래의 나는 실재하

지 않고 나의 머릿속에 있는 것이다. 지금 나에게 주어진 시간을
즐겨야 하는 이유이다. 나에게 내일이라는 시간은 없다. 오늘만 살
고 죽는다는 심정으로 살아야 하는 이유이다.

12. 돈, 쓰고 죽자.

봉투는 돈 봉투가 최고다. 돈 싫어하는 사람 없다. 돈을 좋아하지만, 돈의 가치는 쓸 때 있는 것이다. 가치라는 것을 사회적 기여로 해석을 하지 말자. 지나치게 멍청한 짓이다. 내가 목숨을 걸고 돈은 버는 것은 나를 위함이다. 대부분 사람은 자기들이 할 수 있는 모든 수단과 방법을 다 동원하여 돈을 번다. 그것이 하루 일의 전부이며, 인생의 대부분이다. 나는 병원에 누워서도 회사 일로 걱정을 한다. 그러다가 웃는다. 내일 죽을 수 있는 상황에서도 돈 벌자고 궁리를 하는 내가 제대로 된 정신이 아니다. '내가 번 돈, 내가 쓰지도 못하고 죽을 수 있다.' 생각하니 허망할 뿐이다. 나에게 지금 돈 벌 기회가 필요한 것이 아니라 돈 쓸 시간이 필요할 뿐이다. 나를 위해 쓰지도 못할 돈이라니, 어처구니없다. 죽음 앞에서 가장 중요한 것은 시간이라는 것이 나의 뒷머리를 오싹하게 한다. 깨달음으로 왔다.

돈 쓸 시간도 없어야 돈을 모을 수 있다고 한다. 돈 벌자고 정신없이 사는 것이다. 월급쟁이들이 돈을 못 버는 이유는, 일하는 근무시간이 끝나면, 나머지는 다 돈을 쓰는 시간이기 때문이다. 장사꾼들이 부자가 많은 것은 그들은 잠자는 시간 빼고는 다 돈을 버는 시간이고, 돈 쓸 시간을 일부러 만들어야만 한다. 내가 근무 시간에 노는 것은 진짜 땡땡이지만, 사장이 근무시간에 노는 것은 업무의 또 다른 모습일 뿐이다. 이것이 부자로 살고 못살고의 차이이다. 돈 냄새를 기가 막히게 잘 맡는 사람이 있다. 그들 대부분은 사장이란 직함을 가지고 있을 것이다. 아니면 사기꾼이다.

돈을 버는 즐거움이 있다면, 돈을 쓰는 즐거움도 있다. 50세가 넘어 인생 후반전이 되었는데도, 늘 밥을 얻어먹는 사람이 있다. 그렇게 약은 짓이 똑똑하다고 생각한다. 그동안 쌓아둔 자산이 꽤 되어, 돈이 없는 사람도 아니다. 주위에 그런 친구들 많다. 자기 돈 쓰는 것이 아까운 것이다. 궁색하게 눈치 보고 사는 것이다. 가족들을 위해서는 아까워하지 않으면서도 정작 본인을 위해서는 한 푼도 못 쓴다. 초라한 인생일 뿐이다. 태어나면 죽어야 하듯이, 돈을 벌었으면 써야 한다. 설사 돈을 남보다 못 벌었어도, 가지고 있는 돈은 쓰고 죽어야 한다. 대부분은 이래저래 다 쓰지도 못한다. 남은 돈은 내가 죽으면 누군가가 쓸 것이다. 그 누군가가 내 자식이 되면 그나마 다행이지만, 그렇지 않을 수도 있는 것이다. 살아 있는 동안에 자신뿐만 아니라, 사랑하는 이들과 함께 입이 즐겁고, 눈이 즐겁고, 몸이 즐겁게 추억을 하나하나 만들면서 돈을 써야 한다. 쓰지 않는 돈은 그냥 숫자에 불과하다. 땅속에 묻어둔 금은보석은 그냥 돌멩이다.

부자인 이유는 단지 운이 좋아서 된 것이라며, 겸손하게 가지고 있는 돈을 사회 환원하는 부자들이 있다. 그들과 나를 비교 하지 말자. 그들이 먹다 흘린 밥풀떼기만큼도 나는 돈이 없는 사람이다. 새 발의 피다. 그들은 이미 누릴 것을 다 누리고 사는 사람이다. 사회 환원 같은 말을 하기 전에 나의 즐거움을 위해 써야 한다. 일생 돈을 모으기만 한다. 그리고 죽으면서 전 재산을 대학교에 기증하는 독거노인들이 있다. 좋은 일이다. 박수를 보낸다. 하지만 나에게 그런 것을 기대하지 마라. 그들은 자신을 위해서 영화 하나 안 보고, 맛있는 음식은커녕 여행 한번 안 다녀본 사람들이다. 통장에 돈이 있지만, 평생을 가난하게 살아온 사람이다. 그들을 칭송하는 사회가 이상한 것이다. 그들의 삶은 빈약한 삶이다. 나는 영화도 보고, 요리도 먹고 싶고, 여행도 다니면서 살고 싶다.

돈의 숫자가 늘어날수록 행복하다고 생각한다. 분명한 것은 쓰지 않으면 부자가 아니라 가난하게 살다가 죽는 것이다. 땅 많은 거지일 뿐이다. 돈은 숫자였을 뿐이다. 그리고 죽음을 맞이하고 그 돈은 누군가가 쓴다. 아니면 나라에서 깔끔하게 세금으로 뺏어간다. 남은 시간이 길지 않다면 이제 어떻게 쓸 것인지는 나의 선택이다.

13. 위로, 삼가 고인의 명복을 빕니다.

어떤 모습의 인생을 살았어도 결국 죽음으로 끝난다. 그것이 인생이다. 내가 사랑하는 모든 사람, 아니 내가 아는 사람은 다 죽는다. 나도 죽는다. 죽는 순서는 무작위이다. 우리에게는 가혹하지만, 신 앞에서 로또 번호 뽑히듯이 죽어가는 것이다.

항암치료가 진행될수록 몸은 무겁다. 몸의 나타나는 증상은 죽을 수 있다는 두려움을 가지게 한다. 무균실 병동에는 급작스럽게 컨디션이 떨어진 환자를 위한 집중치료실이 있다. 그곳에 의식을 잃고 누워있는 20대 초반의 젊은 여자를 보았다. 내 딸과 같은 나이이다. 수많은 기계장치와 주사가 환자에게 연결되어 있다. 부모인 듯한 사람이 무균실 밖에 대기하고 있다. 복도를 걷는 중에 그곳을 보았고 우울해져서 병실로 들어왔다. 두어 시간 뒤 다시 나갔다. 간호사들이 모여 기도를 하고, 아버지인 듯한 내 또래의 남자가 들어와서 '미안해'라는 작은 소리를 내면서 눈물을 흘리고 있다. 자식을 잃은 슬픔이 나에게 다가왔다. 이건 정말 못 본 척할 수 없다. 뭐라 표현하기 어려운 가슴 통증에 눈물이 나온다.

사람이 어차피 죽는 것이라면 위로받는 것은 의미가 없다. 죽음에 무관심해질 수 있는 것이 아니라면 무엇으로 슬픔을 위로할 수 있을지 모르겠다. 위로는 죽은 사람에게 필요한 것인지, 죽어가는 사람에게 해야 하는지, 아니면 그 죽음을 지켜보는 가족들에게 해야 하는지 알 수가 없다. "삼가 고인의 명복을 빕니다" 는 죽은 자와 산 자 누구에게 하는 것인지 모르겠다. 사실이 뭔지 아는 것이 중요하지도 않을 것 같다. 어차피 위로는 없는 것이다.

죽는 것이 어쩔 수 없는 것이라면 죽을병 걸린 나 같은 사람에게 희망은 원래 없었다. 병원에서의 항암치료를 버티는 것은 살고자 하는 것이다. 병원에서 치료를 받는 것은 고칠 수 있다는 생각이 있어 온 것이다. 치료 방법이 없었다면 병원에서 나에게 다른 방법을 권유하였을 것이다. 그런데 죽는다. 희망이 없는 것인데 희망이 있다고 내가 착각하고 있는 것인지 모른다. 지금 나는 항암 부작용으로 음식을 삼키지 못하고, 항문이 헐었다. 그런데도 복도에 나와서 10분이라도 걷는다. 좀 더 살 수 있을 것이라는 희망을 내가 가지고 있기 때문이다.

병원을 믿고, 치료 과정을 믿는 것이다. 나를 낫게 해 줄 것이라는 희망이다. 나를 오래 살게 해 줄 것이라는 것이 희망이다. 지금은 죽을 때가 아니라는 것이다. 복도를 걷는 중에, 딸 같은 젊은 환자의 죽음을 보기 전까지 그랬다. 희망이 내가 가질 수 있는 단어인지 헷갈린다. 어차피 시간을 조금 더 연장하는 것이라면, 희망이라는 단어는 특별한 의미가 아니다. 그냥 생각 없이 내뱉는 말 상투적인 것, 그 이상도 이하도 아니다.

어차피 죽음이 가까이 와 있다는 것을 알면서도 복도에 나가 걸어야 한다. 내가 나를 봐주는 것이다. 이를 악물고 걸어야 한다. 내가 지금 죽지 않았다면, 그래서 내가 내 삶을 사랑할 수 있다는 것이, 내가 지켜야 할 마지막 자존심으로 다가온다. 내가 치료를 믿고 걸어야 하는 이유이다. 나는 아직 운이 좋은 것이다. 신들이 뽑는 로또 번호에 내 이름이 아직 나오지 않았다는 것이다.

14. 빌어먹을, 돈이 아니라 시간이었다.

나의 운명이 있다면 나에게 주어진 시간은 정해져 있을 것이다. 나는 끝나는 날을 모르고 오늘까지 살았다. 아직도 나에게 남은 시간이 2년 7개월인지, 10년 5개월인지, 30년 1개월인지 모른다. 그 날은 모르지만, 시간이 얼마 남지 않았다는 것을 이제는 알았다. 볼 수는 없지만, 사람들은 자기 머리 위에 자기만의 모래시계를 하나씩 짊어지고 사는 것이다. 내 머리 위에는 지금 나만의 모래시계가 있는 것이다. 시간이 촉박함을 느낄수록 이것도 하고 싶고, 저것도 하고 싶은 것이 생긴다. 떨어지는 모래를 볼수록 불안함이 생긴다. 방황하는 시간이 길어진다. 시간은 정해졌고, 하고 싶은 것은 많다. 내가 우왕좌왕하면서 실수투성이 살았던 모습은 참 인간적인 모습이었다. 창피하고 부끄러운 일이 아니었다. "왜 그렇게 사냐?"는 것은 사람을 비하하는 말이었다. 모욕적인 말이다. 도저히 할 수 없는 충고라는 것을 알았다. "너는 왜 그렇게 사는데?" 라면 할 말이 없는 것이다. 옳고 그름을 알 수 없다. 경험할 수 없으니 어떻게 사는 것이 가장 만족스러운 삶인지 알 방법은 없다. 각자의 삶은 각자에게만 중요한 것이었다.

'시간이 흐른다.'와 '내가 시간을 흘려보낸다.'는 다른 것이다. 지금 내가 흘려보낸 시간을 내일 쓸 수가 없다. 모래시계는 위에서 아래로 흘러내릴 뿐이다. 시간을 도둑질할 수 있으면, 수단과 방법을 가리지 않고 우리는 도둑놈이 될 것이다. 그런데 시간을 뺏는 것은 누구의 시간을 뺏는 것인가? 시간이라는 것은 주고받고 할 수 있는 것으로 존재하지 않는다. 잡을 수도 느낄 수도 없는 형체가 없는, 무(無)의 개념이다. 신도 시간을 뺏을 수는 없다. 그것이 가능하다면 진짜라고는 단 하나도 없는 모두 거짓된 세상에 사는 것이 되는 것이다.

살면서 선택한 것에는 긍정적이든 부정적이든 늘 대가가 따라온다. 눈물과 한숨, 비탄과 웃음, 쾌락과 즐거움, 행복과 불행, 돈을 버는 것과 손해로 온다. 그리고 그만큼 모래시계의 모래는 줄었다. 내가 쓸 수 있는 시간이 줄어든 것이다. 우리가 사는 세상은 생각보다 비정한 세상이다. 씁쓸하지만 인정하고 받아들여야 한다. 삶의 희노애락, 기쁘고 화나고 슬프고 즐거운 것은 시간을 쓴 대가이다. 거꾸로 가는 시계는 없다.

순간을 소중히 여기는 삶으로 바뀌어야 한다. 운명으로 주어진 시간을 즐겨야 하는 이유이다. 초조, 불안, 걱정으로 보낼 시간이 없다. 시간에 대한 낭비이다. 나에게는 찰나의 시간밖에 없다. 아끼지 말고 소중하게 써야 한다. 무엇보다도 간절한 욕심은 부질없는 싸움이나 하면서 남은 시간을 보내지는 않겠다는 것이다. 사랑할 시간도 극히 순간이라는 마크 트웨인의 말 한마디가 가슴에 와닿는다.

"마크 트웨인 - 시간이 없다. 인생은 짧기에, 다투고 사과하고 가슴앓이하고 해명을 요구할 시간이 없다. 오직 사랑할 시간만이 있을 뿐이며 그것도 순간일 뿐이다."

우리는 일상을 그냥 산다. 시간의 많고 적음에 스트레스를 받을 필요도 없다. 우리의 노력과 관계없이 신이 던져준 것이다. 가지고 싶다는 욕망으로 가질 수 있는 것이 아니다. 전에는 돈 벌기 위해 열심히 살았고, 그렇게 시간을 소비했다. 지금은 시간을 낭비하지 않기 위해 재미있게 살고, 그렇게 돈을 소비한다. 돈부자는 아무것도 아니다. 시간 부자가 진짜였음을 알았다. 신은 24시간 365일을 인간에게 차별하지 않고 똑같이 주었다. 그래서 시간 부자로 사는 것은 돌잔치에서 아기가 돌잡이 하듯이 그냥 선택하면 되는 것이었다. 삶의 본질은 돈이 아니라 시간이었다. 빌어먹을 죽을병 걸려서 얻은 깨달음이다. 하루하루 옳고 그름을 따지면서 나는 돈으로 만들어진 세상에서 시간 거지로 살고 있었다. 바보같이 산 것이다.

15. 이번만 살려줘, 신이 있기는 있을까?

성모병원 21층에 있는 무균실 병동의 하나인 이곳은 복도 한 바퀴를 돌면 70~80m 정도 될 듯하다. 30~40분 정도를 하루에 3번 걷는다. 운동은 살아야만 한다는 의지이다. 어릴 때부터 늘 불렀다. 가장 좋아하는 찬송가 '내 영혼의 그윽히 깊은데서 맑은 가락이 울려 나네'를 무한반복으로 들으면서 걷는다. 나도 모르게 눈물이 난다. 죽을 수 있다고 생각이 떠나지 않는다. '왜 이렇게 되었지?' 슬프다는 감정이 차오른다. 침대로 돌아와 '살려만 달라'고 신에게 기도한다. 심신이 약해 질대로 약해진 것이다. "두려워 마라, 너는 내게 부르짖으라. 내가 너를 도와주리라. (이사야 41:10)" 문득 생각난 성경 구절에 지푸라기 잡는 심정으로 신을 부르고 찾는다. 어릴 적 신에 대한 충성스러운 마음에 성경책을 끌어안고 잠을 청하던 그 어린 내가 되었다. 두려움과 분노의 감정이 하루에 몇 번씩 찾아온다. 미쳐가나 보다. 이성이 감성을, 감성이 이성을 혼란스럽게 제멋대로 지배하는 내가 되어가고 있다.

내가 존재하고 있으므로 세상이 있는 것이다. 내가 죽는다면, 죽음 다음의 세상에 대한 의미는 나에게 없다. 신이 태초에 천지를 창조하였던 것도 '나'라는 존재가 있기 때문이다. 내가 없다면 신이 있어도 그만이고, 없어도 그만이다. 신이 나를 만들었다고 생각한 것은 착각이고, 내가 신을 만든 것인지도 모른다. 내가 없으면 세상은 공(空)이다. 의식이든 무의식이든 절대자의 존재는 내 생각 속에 있다. 천지를 창조한 첫날에 신이 있었다고 생각하는 것은 내가 태어났기 때문에 가능한 것이다.

내가 나 좀 살려달라고 기도하는 그 신이 언제부터 있었을까? 뭐든 신이 나타난 그 순간을 태초라고 한다면 그 시점에 시간과 공간이 동시성으로 나타난 것이다. 시간만 있고 공간이 없을 수 없고, 공간만 있고 시간이 없을 수 없다. 시간과 공간도 없으면 신도 없다. 시간과 공간이 있을 때만 신이 있을 수 있는 것이다. 시간도 공간은 내가 의식을 하는 순간에 생긴다. 시간과 공간은 상대적이다. 공간은 3차원이지만, 시간은 1차원이다. 공간 속의 나는 움직임 없이 있을 수 있지만, 시간 속의 나는 가만히 있지 못한다. 내가 죽는다는 것은, 나에게 공간과 시간 둘 다 존재하지 않는 것이다. 시공간에서 상대적 내가 있을 뿐이다. 신이 있다면 신도 나와 마찬가지이다. 신이 죽지 않는 이유는 나 같은 사람이 계속해서 태어나기 때문이다.

'신이 진짜 있어?' 인간의 마음이 약해져서 의지할 존재를 찾는 것일 뿐, 기도하는 중에 신은 없다는 생각이 '훅' 들어온다. 죽음이 무서워 살려달라고 기도할 필요가 없어진다. 죽음으로 시간과 공간이 없어 나라는 존재가 공(空)이 되었다면 아무런 의미가 없는 것이다. 내 생각을 누군가에게 줄 수가 없다. 세상이 나를 중심으로 돈다고 생각하면, 죽음으로 공(空)이 되고 무(無)이다. 내가 세상의 중심이 되는 것은 내가 신이 되는 것이다. 더 늦기 전에 불경 공부를 해야 하나 싶다.

다시 경건한 마음으로 침대에 엎드려 기도한다. 이번에 백혈병으로부터 살려만 주면 정말로 열심히 하나님의 뜻을 따르겠다고, 교회도 열심히 나가겠다고, 헌금도 많이 하겠다고, 참회의 기도가 나온다. 나름 착하게 살아온 것처럼 보이는 내가 알지도 못하는 모든 죄에 눈물로 신의 용서를 구한다. 병이 고쳐지는 것하고, 나의 죄를 회개하는 것이 아무 관련이 없어 보이는데, 아무튼 나는 내가 지은 죄로 인해 죽는다고 생각한다. 그러다가 '나보다 더 나쁜 놈들은 뭐지, 내가 뭐 하는 짓이지' 하면서 웃는다. 어떤 결과를 가져올지 몰라 두려움으로 기다리는 시간에 미친 짓이 가득하다. 울다 웃고, 웃다 운다. 내가 미쳤다. 병원에서 미쳐가고 있다.

16. 인연, 큰 의미 없다.

성경을 읽다 보면 우리는 스스로 티끌이라 고백하고 (창 18:27), 우리가 단지 먼지(시편 103:14) 같은 존재라는 것을 신 앞에서 고백한다. 보잘 것 하나 없는 존재이다.

우주에는 은하가 2조 개가 있다고 한다. 어느 정도 규모인지 상상이 잘되지 않는다. 대충 계산하여 보니, 100m의 지름을 가진 수족관이 있다고 한다면, 그 수족관에 보일까 말까 하는 먼지 같은 존재가 우리 은하계이다. 티끌보다 더 작은 것이 모이고 모여 우주가 되었다. 은하계에 4,000억 개의 태양과 같은 별들이 있다. 존재한다고 할 수도 없는 태양이라는 별에 기생하여 지구가 있다. 태양과의 거리가 1/10만큼 가까워지면 지구는 불타서 없어진다. 단, 하나의 오차도 허락하지 않는 기가 막힐 정도의 정밀한 과학이 적용되어 있다. 그런 우주에서 지구가 어느 날 갑자기 폭발하여 인류가 사라지는 것은 사건도 아니다. 상상 불가한 일이 아니다.

인체의 가장 작은 물질의 하나인 미토콘드리아는 전자현미경으로 겨우 확인될 정도로 작은 세포이다. 우리 몸이 우주라고 가정하여 상상하면 미토콘드리아는 은하계이다. 미토콘드리아는 나의 몸에 기생하여 살아있는 최소 단위이다. 나와 미토콘드리아는 서로 공생관계이다. 미토콘드리아가 있어 내가 살아있는 것이다. 내가 미토콘드리아이고, 미토콘드리아가 나인 것이다. 하루에 수천 개의 미토콘드리아가 사라지고 새로 생기는 것을 나라는 존재는 의식조차 하지 못한다. 내가 살아있지만, 미토콘드리아 하나가 내 몸 안에서 죽는 것은 일도 아니다.

우주에서 내가 살아있는 것이 기적이고, 너와 내가 만난 것을 인연이라 하는 그 자체가 지나친 해석이다. 그냥 존재하는 것이다. 사람으로 살면서 부모, 자식, 형제, 친구, 부부, 선배, 동료, 연인 기타 등등으로 만난 사람들과 관계를 맺는다. 그 관계를 인연이라 하고, 그 인연은 악연도 있고, 선연도 있다. 불가에서는 집채만 한 바위가 있고, 바위의 한 지점에 떨어지는 물방울이 그 바위를 뚫어버리는 시간이란 개념을 '겁'이라 한다. 그 겁이 모여 억겁의 세월이 되고, 그런 세월이 지나야만 만날 수 있는 것을 '인연'이라 한다.

너와 나의 만남은 억겁의 세월을 보낸 '연'이다. 하지만 '연'으로 포장하여 기적으로 생각하지 말자. 인연은 선함도 있지만, 악함도 있다. 어떤 연은 나의 수명을 연장하지만, 어떤 연은 나의 삶을 죽음으로 이끄는 것이다. 내 몸의 어떤 세포는 나를 살리지만 어떤 세포는 백혈병이 되어 나를 죽게 하고 있다. 내가 살아있는 것은 기적이 아니다. 언제 죽어도 이상하지 않은 존재일 뿐이다. 내가 살아있기 때문에 모든 것을 '인연'으로 생각하는 것이다. 보잘 것 하나 없는 존재임을 인정하면, 만남에 별 의미가 없다. 인연은 무엇이 되었든 다 운이다. 울든, 웃든, 슬프든, 분노하든 그냥 그러려니 하면 된다. 태어나는 것도, 죽는 것도 마찬가지이다.

내가 우주이고, 내가 만나는 사람들이 또 다른 우주다. 아직 죽지 않았다면 인간의 운명은 서로 얽혀 있는 것으로 존재하는 것이다. 공생이다. 거기에는 그럴만한 이유가 있는 것이지만 미토콘드리아는 죽는 날까지 알 수가 없다. 상상할 수 없는 작은 크기로 다가오는 존재가 나라는 티끌이다. 인연은 내가 나에게 부여했을 뿐이다. 나를 구속하고 있는 오랏줄이다. '내가 왜 스스로 나를 묶었지' 의미 없는 인연이다.

17. 눈물, 새벽하늘에 반복된다.

환자들끼리 통하는 것이 있다. 절망과 슬픔은 공유하지 않는다. 매 순간 가지는 감정이지만, 우리는 전혀 모르는 듯이 하루를 산다. 서로가 묵시적으로 이해하는 자연스러움이다. 이른 새벽, 잠에서 깨어 입원실을 조용히 나오면서 나의 하루가 시작된다. 조용히 복도를 걷는다. 내가 아는 모든 사람은 서울 하늘 아래 나의 존재를 의식도 하지 않은 채, 새벽잠의 달콤함을 맛보고, 아직 잠에서 깨어나지 않았을 것이다. 내가 죽든, 안 죽든 그들의 생활에 변화가 없는 것이다. 창밖으로 반포대로를 달리는 차량의 불빛이 보인다. 누군지 모르지만, 이른 새벽에 강남의 도로를 달리는 저 사람의 하루도 시작되는 것이다. 슬프고도 혼란스러운 감정이 밀려온다. 새벽하늘, 나 혼자 깨어나 죽는다는 것을 고민하고 있다.

내가 여기 있는 이유를 또 찾아본다. 나를 위로하는 것이 아니다. 그냥 궁금할 뿐이다. 운명은 앞에서 날라 오는 돌이라 피할 수 있고, 숙명은 뒤에서 날라 오는 돌이라 피할 수가 없다고 한다. 그러면 나의 백혈병은 운명이다. 죽음이 남들보다 빨리 운명으로 다가온 것이다. 운명을 바꿀 힘은 사람에게 있다. 숙명이 무서운 것이지, 운명이라면 무서워할 필요가 없다. 나에게 찾아온 절망적인 슬픔에는 이유가 없다는 결론을 내린다. 이유가 없어 설명할 수 없다. 사사롭게 무거운 마음으로 받아들이지 않아도 된다. 슬퍼하지 않아도 되는 것이다. 지금 나 같은 사람이 운명적으로 매일 입원하고, 매일 퇴원한다. 간혹 숙명으로 끝나 죽음으로 나가시는 분들도 있다. 이곳에서는 불행이 행복보다 훨씬 흔한 곳이다. 어쩌면 행복은 이곳에 없을 수도 있다. 내가 화를 낼 까닭은 없다. 억울한 일은 아니다.

병원에서의 하루하루는 계속해서 힘들게 하지만, 지금 나를 대신할 사람은 없다. 다행스럽게도 누군가에게 의지하면서 살아오지 않았다. 어릴 때부터 늘 혼자였고, 혼자서 독하게 살아왔다. 나를 도와줄 사람은 늘 나였다. 이 상황을 정리하는 것이 쉬운 일이 아니지만, 평화스럽게 정리하여야 한다. 스스로 내 운명을 이겨내야 할 것을 남에게 의지하는 것은 좌절이다. 투병 생활에 그 어떤 어려움도 없을 것으로 생각하지 않는다. 오늘 새벽의 생각이 여기까지는 좋았다. 그러다가 다시 추락한다. '내가 왜?' 죽어야 하는 병에 걸린 것인지 모르겠다. 마음에 무거운 짐을 지고 다시 차량 불빛이 있는 반포대로를 본다. 숙명일 수도 있으니 운명에 대해 너무 욕심내지 말라고 신이 경고하는 것 같다.

새벽의 어둠이 사라지면서 아침 햇살이 창밖에서 들어온다. 가슴을 무겁게 하는 것은 내일 새벽에 이 모든 고민이 또 반복되는 것이다. 새벽하늘을 보면서 조용히 떠들어 본 것이 눈물로 끝난다. 어제처럼 오늘도 아침이 밝아오면서 눈물로 시작한다.

18. 잘 먹자, 신의 뜻이다.

떨어진 침대에 각자 누워있고 커튼 장막이 가로막고 있지만, 우리는 상호작용을 하면서 입원실의 공간을 살아있는 공간으로 만들고 있다. 우리는 개별적으로 있는 것이 아니라 백혈병이란 하나의 시스템에 묶여있다. 내가 겪었던 증상이 끝날 때쯤에 다른 환자가 같은 증상으로 고생하기 시작한다. 새로운 증상이 나타나고 사라지고, 다 같이 비슷한 증상으로 고생하기도 한다. 증상을 없애기 위한 처방도 거의 같다. 치료 과정은 표준화되어 있어 공식처럼 우리에게 항암 약물이 투여되고, 부작용이 발생하면 그에 따른 약이 또 투여된다. 약물을 받아들일 수 있는 육체적 조건이 달라서 힘듦이 사람마다 다른 것일 뿐, 전혀 새롭고 처음 보는 증상이 나에게 나타난 것이 아니다. 치료 과정에는 질서가 있다. 무균실 생활이 편안해지는 이유이다. 그 질서 속에서 우리는 약물에 취해 가고 있다.

아침에 침대의 커튼을 치우고 밥상을 받는다. 같은 입원실 환자들끼리 인사를 나누고 밥을 먹는다. 내가 먹는 모습을 보고 앞사람이 숟가락을 든다. 앞사람이 먹는 모습을 보고 나도 먹는다. 서로 보고 먹는다. 꾸역꾸역 삼킨다. 완치된 모습은 가질 수 없는 확신이지만 갖고 싶어 하는 마음을 서로 읽는다. 그러면서 마음이 편해짐을 느낀다. 밥을 먹고 있는 자기를 스스로 느끼고 있다. 의식적으로 서로를 흘끗 본다. 아침의 대화를 이렇게 말없이 눈치로 한다. 오늘도 모든 노력이 헛되지 않기를 서로 응원한다. 생명이 있다는 것에 감사할 뿐이다. 아는 것이 힘, 아니다. 먹는 것이 힘이다. 사람의 근원적 생명력은 먹는 것이다.

병원에서는 삶과 죽음이 얼마나 가깝게 있는 것인지 매일 보고 있다. 이 병원을 걸어서 나갈 수 없는, 그런 두려운 일이 나에게 있을 수 있어 끊임없이 마음을 다잡는다. 죽음을 두려워하지 않는다는 것은 모든 것을 포기할 때, 죽음을 받아들일 때 할 수 있는 말이었다. 그러고 보면 일상생활에서 '두려워하지 말라'는 것은 이해하기 정말 어려운 말이었는데, 너무도 쉽게 말하고 산 듯하다.

죽을병 걸렸다고 다 죽는 것도 아니고, 남보다 일찍 죽어야 하는 것도 아니다. 아직 시들지 않는 나이이다. 오늘 죽어도 이상하지 않은 나이라고 하기에는 아직 억울한 면이 있다. '오래 산다고 다 좋은 것은 아니다.'라는 말은 위로가 되지 않는다. 오래 살지도 않았을 뿐 아니라, 내가 내 인생을 사랑했기 때문에 받아들일 수 없다.

그렇다면 생명의 힘은 지금 단순하게 먹는 것에 달려있다. 끝을 내도 내가 내야 한다. 먹지 않아서 나락으로 떨어지는 꼴은 볼 수 없다. 나의 인생을 파괴한 이것을 미워하는 힘으로 살아야 한다. 처참하게 무너지는 모습을 보여주기에는 나의 의지가 아직 무너지지 않았다. 가만있으면 굶어 죽는 것이다. 몸이 아픈 것은 지금 약물로 고치고 있지만, 마음이 아프면 치료 약이 없다. 가장 좋은 의사는 병이 나지 않도록 미리미리 손쓰는 것이라면, 지금 내 마음을 치료할 수 있는 유일한 의사는 나이다. 육체 속의 무언가가 나를 치유의 과정으로 이끌기도 하지만, 마음속의 무언가도 나를 이끌고 있다.

병원에서는 할 수 있는 것이 별로 없다. 밥 먹고 똥 싸는 기계적인 인간이 되어가지만, 나와 세상은 단절된 것이 아니다. 이렇게 살아가는 나를 인정할 신은 애초에 없다. 신을 괴롭히면서 내가 원하는 것을 얻어야만 한다. 참과 거짓이 무엇인지 그런 철학적 질문은 지금은 의미 없다. 알고 싶지도 않다. 질병이라는 숲에서 쓰러져 죽어가는 나를 발견하였고, 나를 살리는 것은 입에 들어가는 밥숟가락이다. 여기에 최선을 다하는 것이다. 없어져 가는 감각을 무시하고 새로운 감각을 살리고 있다. 지금 내가 살아 있다는 것을 알기 위해 먹는 것이다. 음악은 듣는 것이 아니라 보는 것이라 한다. 눈을 감고 들으면 음악이 보인다고. 한다. 내가 먹는 것은, 동물처럼 배고파서 먹는 행위가 아니라 전문적인 의료행위이다. 신은 그런 내 마음을 받아 줄 것이고, 신의 뜻이 거기에 있는 것이다.

19. 사람 관계, 병실도 똑같구나.

60대 중반의 남자와 병실에서 친밀감이 높았다. 먹을 것을 챙겨주고, 같이 휴게실에서 하루에 3~4시간 이야기를 나눈다. 티키타카가 잘 맞았다. 이식이 끝난 나는 항암 후유증으로 발생한 항문 질환 수술을 위해 입원실을 바꾸어야 했다. 그 말을 들은 그는 안타까움을 이야기한다. 전화번호를 교환하자고 한다. 항문 수술 마치고 퇴원하면 보고 싶으니, 꼭 자기가 사는 울산에 여행을 오라고 간곡하게 몇 번씩 요구한다. 진심으로 받아들였다.

사람이 살아 있다는 느낌은 시각, 청각, 촉각, 후각, 미각에서 찾는다. 감각이 없으면 죽음이다. 의사들이 환자의 눈동자를 보면서 불을 비추어 보는 것은 의식이 있는지 없는지 보는 것이다. '의식이 있나 없나'는 '살았나 죽었나'와 같은 말이다. 병원에서는 신체적 감각과 기능이 제대로 작동하는지 세밀하게 검토한다. 들어간 양에 비하여 나오는 양이 부족하면 바로 이뇨제도 맞고, 설사약이 투여된다. 수시로 혈액검사를 통해 부족한 것은 보충이 바로 된다. 항문에 문제가 있던 나는 먹는 것을 중지했다. 입으로 들어가는 것을 줄여, 항문으로 나올 때의 고통을 줄이는 것이다. 그 부족함을 채우기 위해 다른 것이 나의 팔뚝에 연결된다. 부족한 것은 다른 방법으로 채운다.

감각 하나가 무너지면 다른 감각이 발달하여 그 부족함을 메꾼다. 청각장애가 있던 음악천재 베토벤, 언어장애를 가지고 있는 처칠, 루게릭병이 있는 스티븐 호킹 등 자신의 신체적 결함을 다른 감각으로 극대화하여 이겨낸 대표적인 사람이다. 감각은 사람의 신체적·정신적 발달과정에서 기본적이면서도 중요한 요소이다.

감각은 사람이 가지는 '감성'이라고 하는 것을 지배한다. 감성은 보고 듣는 것에서 나온다. 백혈병 환자들이 모인 병실에서 환자들은 나이를 떠나 서로를 보고 듣는다. 점점 서로를 위로하며 웃고 떠든다. 관계가 만들어진다. 갑자기 찾아온 친밀감은 그 어떤 관계의 것보다 높다. 그러다가 갑자기 침대가 비워지고, 우울한 소식을 듣는다. 새로운 사람이 온다. 두려움과 희망은 늘 함께 움직이고 있다. 그중에 티키타카가 되는 사람을 만나는 것은 행운이다.

항문 수술을 위한 병실 이동이 오후에 있었고, 60대 남자에게 문자를 보냈다. 수술이 끝나고 문자를 보냈다. 퇴원하고 문자를 보냈다. 답이 없다. 관계는 끝난 것이다. 순간 병실에서 가졌던 그 친밀감이 무엇이었는지 헷갈린다. 인간으로서 정신이 피폐해진 사람들이 가지는 가식이었음에 쓴 웃음이 나왔다. 사람들 관계에서 보고 듣는 감각 자료들이 순차적으로 모여서 상대를 판단한다. 판단은 아무런 절차가 없이 생기지 않는다. 일정한 규칙이 있고, 그것에 따라 만들어진다. 간혹 보고 싶은 것을 보고, 듣고 싶은 것을 듣는 경우도 많다. 상대방에 대한 오류가 발생하는 것이다. 병실에서는 의식이 있지만, 심신이 점점 약해지면서 발생한 것이다.

처음 보는 누군가와 우리는 관계를 의식적으로 형성한다. 좋은 인연으로 지속되기를 바란다. 시간이 지나면서 관계가 지속되기도 하고 끊어지기도 한다. 혹은 평생의 관계가 만들어진다. 그 어떤 관계가 되어도 마지막에 남는 것은 '나'라는 존재이다. 관계에서 내가 없어지는 것은 내가 의식이 없어질 때나 가능한 것이다. 너 없는 나를 보지 말고, 나 없는 너를 봐야 한다. 마음을 준 것이 상처라고 생각한다. 아니다. 보고 싶은 대로 보고, 듣고 싶은 대로 들은 것이 상처의 원인이다. 마음을 준 것은 보고 싶은 것만 보았고, 듣고 싶은 것만 들었기 때문이다. 내 탓이다. 내가 쪼다 짓을 한 것이다.

20. 재발이라니, 다시 처음부터 시작

4년의 세월을 그냥 보내지 않았다. 너무 쓸쓸해서 도망가고 싶은 맘이 있어도 참고 또 참았다. 서울 생활을 접었고, 일을 접었고, 사람들과의 연락을 끊었다. 제주에서 있는 듯 없는 듯 살았다. 사람을 만날 일이 없으니 귀양이었다. 스스로 고립되어 숨죽이고 살아있었다. 오로지 병만 고치자 하는 것이 나의 유일한 일이었다. 그것만이 나에게 가치가 있는 것이었다. 그렇게 시간을 보냈는데 재발이라는 말에 화가 났다. 혈액검사에서는 그럴 수 있어도, 골수검사에서는 거짓이기를 바랬다. 지금 나를 찾아온 신은 나를 어떻게 하면 아프게 할까 고민만 하고 있다. 뭐 이런 신이 다 있나 싶다. 신을 버려야 하는 이유가 또 생기었다.

또, 처음 백혈병 진단을 받았을 때처럼 병원의 착오를 바라고 있다. 화를 누르고 검사 결과를 또다시 받아들여야 한다. 거부하고 싶지만, 내가 할 수 있는 선택이 아니다. 또다시 운명이 강요하는 힘에 무릎을 꿇어야만 한다. 갑자기 산다는 것이 구질구질해지면서 숨이 막힌다. 다시 원위치가 된 것이다. 백혈병으로 지금껏 잃어버린 세월이 적지 않다. 지금의 내 모습을 사랑하자며 버티었는데,

'재발이라니' 진짜 끈질긴 놈이다. 나쁜 꿈이길 바라지만 병원에서는 바로 입원 절차를 밟으란다.

다시 항암 약물 치료를 하고 이식을 받아야만 살 수 있다고 한다. 4년 전에 병실에서 비몽사몽 했던 것이 기억이 난다. 항암의 부작용이 생각나면서 다리가 후들거린다. 이식을 준비해야 한다는 의사 말에 '끝까지 갔구나' 하는 묘한 두려움이 찾아왔다. '상황을 어렵게 생각하지 말자, 아직 죽지 않았다.' 하기에는 떨리는 마음을 잡을 수가 없다. 머리가 팍팍 굴러가야 하는데 멍하다. 딸에게 아빠의 채무 관계를 알려줘야 하나, 진짜 주변을 정리할 때가 된 것인지 당황스럽다. 마음 한구석에 밀어 놓았던 공포가 다시 커지기 시작한다.

성모병원 이식 병동으로 다시 입원하고, 이식을 준비하는 과정으로 항암이 시작되었다. 병원에서는 만약을 대비하여 '동종조혈모세포 및 자가조혈모세포' 이식, 2가지 모두를 준비하고 있었다. 공여자를 일단 확보하여야 한다. 불안한 마음으로 연락이 오기만을 기다렸다. 며칠 뒤 '동종조혈모세포' 이식을 위해 나와 '조직적합성항원'이 일치하는 공여자를 찾았다는 연락을 받다. 21살의 청년이다. 나의 아들보다 어린 나이이다. 누군지 모르지만, 그 청년에게 눈물이 나게 고마울 뿐이다. 조건 없이 나에게 다가온 청년 때문에 나는 살 확률이 높아진 것이다. 이상하게 세상이 아름답다고 느껴진다. 청년으로 인하여 나는 행복을 만끽하고 있다. "불행하다고 생각하지 마세요." 어린 청년이 나에게 속삭여 준다. 며칠 지난 다음에 '자가조혈모세포' 이식도 할 수 있다는 연락을 받았다. 나에게는 행운이었다. 최악의 상황은 피할 수 있게 된 것이다. 오래 산다고 다 좋은 것은 아니지만, 지금은 오래 살고 싶다.

　의료행위는 확률이다. 관찰된 정보와 합리적 자료를 근거로 일반화한 치료 과정이 있다. 해석과 분석은 전문가의 몫이다. 내 생명이 거기에 달려있음에도 나는 내가 결정권자로 참여하지 못한다. 나는 비전문가이다. 내 삶과 죽음을 그들이 결정한다. 내 담당 의사의 판단이 내 목숨을 결정하는 것이다. 같은 데이터를 가지고도 의사마다 해석에 오류가 생길 가능성은 언제나 있다. 모든 오류는 오류인지 모르고 발생한다. 내 목숨을 맡겨 놓은 상태에서, 의도된 오류는 없다고 믿어야 한다. 병원에서의 모든 과정을 운으로 내가 생각한다면 그것은 환자의 오류이다. 최선의 결정은 담당 의사의 몫이다. 병원에서의 하루하루는 지치고 아프고 힘든 날이지만 꽃피는 봄날로 느낄 수 있다. 병원에 모든 것을 맡기고 의지하는 이유이다. 담당 의사 선생님이 궁금한 것이 있으면 질문하라고 한다. 나는 "없습니다."라는 한 마디로 웃으면서 끝낸다. "보지 않고 믿는 자는 복이 있다. (요한복음 20:29)" 내가 볼 수 있어도, 설명을 들어도 내가 선택할 수 있는 것이 없다. 그냥 믿음으로 가는 것이다.

21. 감동의 물결, 병원 사람들

병원은 병원만의 시간이 따로 흐른다. 밖에서 느껴지는 시간과는 다르다. 환자들 대부분은 누워있는 시간이 많다. 시간이 잘 가지 않는다. 지루하고 따분하다. 3박 4일의 여행은 짧지만, 3박 4일의 정신 교육은 길게 느껴진다. 빠르면서 느린 것, 그것이 시간의 상대성 원리이다. 사람 각자가 느끼는 개별적 감각이다. 병원 공간에서도 마찬가지이다. 개인에게 상대성으로 흐르지만, 공통적으로는 무료하거나 슬픔에 잠겨있는 시간이 많다. 입원실과 복도, 그리고 면회실이 전부인 세상이다. 시간의 흐름은 세 번의 식사와 담당 간호사들이 오전, 오후, 야간으로 바뀌어 가면서 하루의 어느 때인지 알 수 있다. 여기서는 가고 싶은 곳을 갈 수 없다. 시간의 빠르고 느림은 개인이 어떤 마음으로 병실에서 살아가는가에 달려있다. 병실에서 내가 느끼는 것은 남들하고 다른 것이다. 병원 생활이 여행이 될 수도 있는 것이다.

이곳에 모든 것은 돈하고 연결되어 있다. 대가가 따른다. 병원에서 제공되는 모든 서비스는 비용으로 청구된다. 간호사와 담당 의사들의 친절이라 착각하지만, 그 친절에는 금전적 비용이 있는 것이다. 삶과 죽음을 매일 보는 이곳에서 돈은 의미가 없다. 병원비 DC 요구하면서 흥정하는 것을 본 적이 없다. 비급여에 대한 유혹이 있으면 유혹을 기꺼이 받는다. 그렇지만 돈으로 도저히 계산할 수 없는 따뜻한 위로가 있다. 언제 죽을지 모르는 것이 인생인데, 봄날의 햇살처럼 내 마음에 울림을 준다.

이전의 항암 약이 폭탄 수준으로 투여되었다면, 이식을 하기 전의 항암은 핵폭탄 수준으로 투여된다는 설명을 들었다. 마음의 준비를 하라는 조언이다. 이식 전 처치가 끝나고 나의 조혈모세포를 분리 수집하기 위해 기계 앞에 누워있는 나에게 커다란 바늘을 꽂는다. 혈관을 못 잡고 실패하여 이쪽저쪽 다시 꽂는다. 간호사님이 죄송해하면서 나에게 말을 건넨다. "내일 아침에 팔뚝이 시퍼렇게 멍들었을 터인데 어떡해요?" 누워있는 나는 올려다보며 말한다. "아닙니다. 저를 살려주기 위해서 다들 고생하시는데, 제가 감사할 뿐입니다." 이식 전 항암약물로 지쳐있었기도 하지만, 이들의 수고에 이유 없이 눈물이 난다. 나의 눈물을 보고 간호사님이 "잘 될 거에요" 한마디와 미소를 보내주면서 나의 손을 잡아준다. 너무 따뜻한 손길에 마음이 놓인다.

수녀님이 오신다. "기도해 드릴까요?" 나는 주저함 없이 "네, 기도해 주세요" 수녀님이 머리맡에서 나의 이름을 간곡하게 부르면서 치유의 하나님이 임재하기를 기도한다. 하나님의 은혜로 질병에서 일어날 것을 간곡함으로 기도하고, 완치된 후의 나의 삶을 축복한다. 내 가족을 위해 기도한다. "아멘"이라는 소리가 나의 가슴에 천둥처럼 다가온다.

담당 간호사님 기도해 주신다. 급속 냉동 보관하여 놓았던 나의 조혈모세포를 해동하여 나에게 다시 투입하는 과정에 앞서 나의 손을 잡고 기도하신다. 많은 환자로 짜증이 날 수도 있겠지마는, 이식이 성공적으로 끝나 건강이 회복되기를 진심으로 마음을 다해 간절히 기도하는 간호사님을 보면서 뭉클해지는 감동이 밀려온다.

병원에서의 나의 하루는 거의 반복되는 듯한 생활로 비슷하다. 매일 새벽 피를 뽑는다. 혈액 수치의 변화를 본다. 백혈병은 혈액속에 암세포가 있는 것이다. 다른 암처럼 잘라내고, 도려내는 것이 아니다. 있는 듯, 없는 듯한 병이다. 약물 치료가 실패하여 4년 만에 재발이 되었으니 피를 만드는 세포를 싹 바꿔 보는 과정이 이식이다. 이식이 끝나고 나에게 2021년 9월 23일의 날짜를 기억해두라고 한다. 모든 피가 바뀌었으니 내가 다시 태어난 날이란다. 어머니에게 피를 받아 처음 태어났고, 이제 의료기술의 발달로 피를 바꾸었으니 다시 태어난 것과 같은 이치이다. 그리고 나에게 '걱정하지 마라'고 덕담을 건네주는 의사 선생님을 바라보는데 눈물이 핑 돈다.

나의 존재가 새롭게 시작한 날이다. 착한 사람과 좋은 사람에 구분의 의미가 있는 것인지 아닌지 모르겠다. 이들의 착한 행위에는 나에게 비용으로 청구되지만, 이들은 나를 안타까움으로 바라보았고, 나의 생명을 연장하기 위해 할 수 있는 모든 일을 한 좋은 사람이다. 나에게 너무 멋지고 고마운 사람이다. 이들이 병원 밖에서는 어떤 사람으로 사는지 모르지만, 병원이 전부인 나에게는 착한 사람, 좋은 사람이다. 사랑, 희생, 봉사와 같은 말은 안타까움이 있어야 가능한 것이다. 상대의 아픔을 내 아픔으로 인식할 때 깊은 사랑, 희생, 봉사에 이르는 것이다. 이들이 나에게 보여준 것이다.

22. 노인, 추악하다.

의식적으로 죽음을 생각하지 않아서 그런 것일 뿐, 인생을 생각한다면 탄생과 죽음은 같은 말이다. 절대적인 진리이다. 생노병사, 태어나서 늙어가고 병들고 죽는 과정을 피할 수 없다. 이것을 끊임없이 반복하는 것이 불교의 윤회사상이다. 망각의 강을 건널 수 있어서 다행인 것이다. 태어나서 죽는 과정을 끊임없이 반복되는 것을 기억한다면 똑같은 삶이 아닐지라도 아마도 지겨울 것이다. 이유도 없이 무한반복 자꾸 태어나는 것은 형벌이다. 아니다. 기억하지 못하니 형벌이 아니라고 할 수도 있다. 윤회에서 벗어나는 방법으로는 깨달음을 얻어 해탈하는 것이다.

병실에 70세인 분이 오시었다. 골프장에서 친구들과 라운딩하는 중에 코피가 멈추지 않아서 동네병원 갔다가, 응급실을 통해 성모병원을 찾아온 분이다. 호들갑스럽게 입원실에 왔다. 새벽에 두 시간씩 복도를 걷는다. 10년 동안 새벽 산책을 해 왔던 버릇이라고 한다. 죽을 짓을 한 것이 없다고 한다. 건강에 자신이 넘쳤는데, 백혈병이라는 청천벽력 소리를 듣고 지금 상황이 믿을 수 없다고 한다. 일반인이 선택하기에 다소 부담스러운 1회에 몇백만 원 표적 항암제를 통해 치료를 받기로 하였다고 자랑한다. 항암 부작용이 거의 없으므로 퇴원하고 통원 치료로 주사 맞는 것이다. 대부분의 이야기는 어떻게 돈을 벌었고, 정치인들과 잘 알고 있고, 자식들에게 아파트를 사주었다고 하는 자기 자랑이다. 듣고 있자니 죽어도 억울할 것이 별로 없는 노인이다. "그래 돈이 얼마나 있소"라고 물어보고 싶은 것을 참고 짜증이 밀려와 자리를 피한다. 거칠고 뻔뻔한 사람이 뭔지 알 듯하다.

망각의 강을 건너서 그런 것일 뿐 우리는 모두 전생의 개, 돼지 혹은 그보다도 못한 존재였을 수 있다. 노인이 살아온 인생을 알기가 겁난다. 파헤치면 그 마음의 추악함이 더 드러날 것이다. 병원에서는 나이는 숫자일 뿐이다. 다 같이 죽음의 경계선 앞에 서서 불평불만을 늘어놓는 사람일 뿐이다. 똥줄 타서 뭐든지 다 할 수 있는 상황이다. 나이 든 사람으로 부끄러움을 모른다면 추악함이 보일 뿐이다. 두려움 앞에서 품행이 단정한 인간은 없다는 것을 알지만, 죽을 짓을 한 것이 별로 없는데 병원은 자기가 올 곳이 아니라고 한탄하면, 질병이 왜 발생하였는지 이유를 찾아야 한다. 노인에게 병원이 억울하고 부당하다면, 젊은 사람은 더더욱 억울하고 부당한 것이다. 병원이 올 곳이라서 온 것이 아니다. 나이 들면 노화의 과정으로 볼 수 있지만, 젊은 사람들은 무엇이 원인인지 알기 어려운 것이 백혈병이다.

노인과 젊은 사람의 죽음은 다른 것이 아니다. 질병으로 인한 죽음이다. 어쩔 수 없는 것이다. 농담을 좋아할 수 있지만, 죽음을 가지고 농담하지 않는다. 흉악무도한 죗값이 있어 젊은 나이에 죽을병이 생긴 것이 아니다. '에이 죽을 짓을 했네'라는 말은 그 누구에게도 해당하지 않는다. 죽을 짓을 했기 때문에 질병이 걸리는 것은 없다. 철없는 늙은이를 보고 싶지 않다. 노인으로 인정하고 싶지도 않다. 자신이 무언가를 짓밟고 있다는 것을 모른다. 괜찮은 인간으로 늙어가는 것이 무엇인지, 죽는 날까지 모르고 죽을 사람이다.

윤회의 수레바퀴에서 생과 사를 벗어날 수 없다면, 젊어서 죽으나 늙어서 죽으나 큰 의미는 없는 것이다. 지금 생에서 짧게 산다면, 다음 생에서 오래 살면 된다. 그렇다고 하여도 지금 죽음의 문턱을 넘는다면 어린 사람이 상전이 되어야 한다. 죽어가면서 뻣뻣해지는 몸에 대한 기억은 젊은 사람에게 더 억울함으로 다가올 것이다. 비록 다음 생에 다시 태어나도 기억하지 못할 몸이기는 하지만 말이다.

23. 마음 병, 우울은 뇌 속에 있다.

이유 없이 그냥 우울한 것 없다. 상처받아 우울해진다. 나의 모습을 있는 그대로 볼 수 있는 사람은 없다. 내가 보여 줄 수도 없고, 나를 이해시킬 방법도 없다. 누가 나를 안다고 하지만 실재는 아무것도 모른다. 부부로 30년을 살아도 낯선 모습을 보고 놀라는 경우가 많다. 사람이 사람을 온전히 알고 이해하기 어렵다. 그냥 보이는 모습 보고 판단을 할 뿐이다. 이것도 쉽지 않다. 왜곡되어 판단하기 때문이다. 말과 행동을 일부 속일 수도 있다. 대부분 사람이 그렇겠지만, 속이고자 의도한 것은 아니다. 굳이 말할 필요를 못 느껴서 말 안 했고, 말하고자 하였다면 나에게 유리하게 살짝 꼬아서 말했을 뿐이다. 지금껏 서로가 부대끼면서 살면서 웃었던 날보다 울었던 날이 더 많다. 슬픔과 절망, 분노에 휩싸인 날이다. 살아온 시간을 나누어 보면 행복, 웃음, 희망의 날보다 더 많은 날이다. 왜 그런지 이유는 모른다. 굳이 원인을 찾자면 내 마음이 그랬다는 것이다.

인간관계에 상처받고 우울한 감정에 빠진다. 어느 날 사랑받을 가치가 없어 버림받은 존재로 추락한다. 나의 자존감이 무너지는 것은 나의 존재감 상실에서 오는 것이다. 여기에 갑자기 절망이란 감정으로 솟아난 것이 우울이다. 지금 나를 바라보는 사람들의 시선이 그렇다. 나를 나로 보지 않는다. 지금은 죽어가는 사람으로 본다. 슬픔이 가까이 와서 우울한 것이 아니다. 이 순간에 나의 존재적 가치가 사람들에게 없어지고 있음을 알고 우울한 것이다. 원인 불명이 아니라 원인이 있는 것이다. 뭐가 되었든 나의 실재가 사라지고 있음을 알고 우울하게 되는 것이다. 네 마음대로 보는 것이 문제인지, 아니면 내 마음대로 보여주는 것이 문제인지 애매하다.

'이 우울한 감정은 어디에 있어 슬프게 하는 건가? 마음이라는 것은 어디 있는 것인가? 가슴 아프게 슬프다고 하면, 그 슬픔은 어디에 있는가?' 이렇게 생각이라는 것을 해 보면, 나만의 방식으로 머릿속 어디에 슬픔이라는 감정을 숨겨 놓은 것이다. 보고 느끼고 만지고 했던 수많은 감각적 경험은 나의 뇌에 전기적 신호로 저장되어 있다. 과학적 설명이다. 지배하는 마음과 지배당하는 마음은 뇌의 신경망 구조와 시냅스 활동을 통해 뇌의 이곳저곳에 있다. 과학자들은 호기심과 두려움을 가지고 뇌를 쪼개고 분석하여, 뇌세포를 하나하나 살펴보고 있다.

기억이라는 신호가 나의 머릿속 어딘가를 자극하고 있다. 머릿속에 이리저리 자리 잡게 하는 것이 마음이다. 어떤 기억이 우울할 것인지 말 것인지는 어디에 잡을 것인지에 따라 선택되는 신호이다. 선택이 어려운 경우, 우울해지면 약물의 도움을 받는다. 뇌의 물리적인 기능을 과학자들이 만들어 낸 화학물질로 자극을 통제한다. 그러나 본질적인 도움이 되지 않는다. 시간이 지나면 다시 원상태로 우울해진다. 약물은 내 의지와 관계없이 뇌의 물리적 반응을 자극할 뿐이다. 착각하게 한다. 우울은 나의 뇌, 어딘가에 있다고 생각하지만, 뇌의 어느 곳에서 숨바꼭질하면서 우울하게 하는지는 아직도 과학적으로 정확히 알 수가 없다. 하지만 뇌에 숨어있는 우울은 내 의지에 따라 움직이는 것을 알고 있다. 내가 어떻게 하면 기분이 좋아질까? 질병은 약을 써야 하지만, 우울증은 내 마음으로 다스려야 한다. 살아오면서 상처받은 우울한 감정은 내가 이길 수 있다. 단호하게 대처하여야 한다. 그런 마음이 자리 잡지 못하도록 하여야 한다.

24. 너만 봐라, 너만 보고 살아라

오랜만에 본다. 위로의 말을 전한다. 평소에는 연락이 없다가 특정일에 모여서 안부를 주고받는다. 1년에 한 번 보면 많이 보는 사람들이다. 또는 몇 년 만에 보기도 한다. 솔직히 그들이 어떤 사람인지 잘 모르지만 친한 척한다. 할아버지, 아버지가 같다는 이유로 모였다. 나를 알지도 못하면서 충고와 위로, 또는 나의 선택이 아닌 책임과 의무, 그리고 순종으로 그들의 선택을 강요하고 요구한다. 그렇게 살았다. 사람에 대한 존중을 가지고 만나는 것이 아니라 형식적인 만남이라 불편하다. 빨리 자리가 끝났으면 좋겠다는 마음이다. 우리 대부분이 이런 감정을 가지며, 적절한 예의와 무시를 섞어 평생을 아는 듯, 모르는 듯 관계를 유지한다. 다른 공간, 다른 시간에 살았었고, 다른 모습으로 살아간다는 것을 인정하지 않는다. 인품, 성품이 부끄러운 사람들임에도 옳고 그름을 떠나 나이가 많다고 자기 말을 따르도록 한다. 그렇다. 그들도 처음, 나도 처음, 서로가 처음 살아보는 존재라는 것을 무시한다.

인류학자들은 43만년 전의 네안데르탈인의 두개골에서 최초의 살인 흔적을 찾았다. 흔히들 인류 최초의 살인 사건으로 형이 동생을 죽인 사례(창세기 4:8)를 꼽는다. 가족 살인 사건이다. 아브라함은 신의 뜻으로 아들을 죽이고자 하였고(창세기 22:10), 자식을 차별하고, 형제들이 서로 시기하고 죽임을 도모하기도 한다(창세기 37). 성경이 아니라도, 기원전 5-6천 년 전에 고대문명이 태동하는 농경사회가 시작되면서 현대의 윤리적·도덕적 기준으로 이해할 수 없는 혈연에 대한 사건은 너무나 많다.

혈연이란 사회적 관계 이외에는 서로 통하는 것은 없다. 혈연이란 개념은 나의 선택이 아니다. 그래도 우리는 잘 보이고자 무척이나 노력한다. 진짜 속마음을 이야기하는 것이 아니라, 적절하게 그럴싸한 말로 포장한다. 필요한 것이 무엇인지 알지도 모르면서 든고 싶은 말, 하고 싶은 말을 하면서 속인다. '사람 할 도리'라는 말로 포장하지만, 일방적이다. 상처는 돌고 돈다. 혈연이라 믿음으로 다가가면 갈수록 상처는 커진다. 그래서 서로가 적정한 거리를 두고 산다. 그러다가 인생 후반전에 들어가면서 원수가 되어 인연을 끊는 경우도 많다. 대부분 돈 문제이다. 그리고 삶에 대한 지나친 간섭이다. 죽어가면서까지 법정 다툼으로 끝내야 하는 지긋지긋한 인연들도 있다. 주위를 둘러보면 다들 비슷하다. 상처를 주면서도 보이지 않는 압력으로 희생과 의무를 당당히 요구한다. 절연하고 남처럼 사는 형제, 혈연들이 많다.

죽음이 눈앞에 있다고 생각하였을 때 '혼자'라는 것이 강하게 다가왔다. 그 누구도 나의 죽음을 대신할 수 없는 절대적 '혼자'라는 감정에 빠졌다. 이 감정을 어떻게 다스려야 하는지 혼란스러웠다. 그 와중에 혈연관계에 대한 책임과 의무라는 것이 다가왔다. 늘 그런 부담이 가슴에 있었다. 중요하다고 생각한 이것은 사실 아무것도 아니었다. '왜 그렇게 살아' 그 누구도 그런 짐을 일방적으로 짊어질 필요는 없는 것이다. 병원을 찾아온 숙부가 한마디 한다. '너만 봐라, 너만 보고 살아라' 사람은 각자 자기 삶을 재밌게 살 권리가 있다. 혈연에 좋은 모습을 보이고자, 갈등을 숨기고 아닌 척 살아가는 것이 잘못된 선택일 수 있다는 것이다. 우리 모두의 삶은 존중받아야 한다. 자기의 행복과 편의를 위해 타인에게 책임과 의무를 짊어지게 할 수는 없는 것이다. 무모한 희생을 사랑이란 말로 포장하지 말자.

25. 제주 숲, 반전 영화를 찍는다.

질병은 본인뿐만 아니라 가족의 문제로 다가온다. 나 같은 환자를 곁에 두는 순간에 함께 사는 식구들은 일상에 어려움이 있다. 먹고, 자고, 일하는 생활이 꼬인다. 그것은 예상된 일이지만, 삶의 위로는 집에 있으므로 병든 사람이 미안해야 할 일이 아니다. 탕자가 아비의 집을 찾는 것은 삶에 대한 위로가 필요하였기 때문이다.

죽어가는 것은 혼자서 감당해야 할 일이다. 그 누구도 대신할수 없는 것이다. 그런 사람들이 자기 집을 떠나서 낯선 곳에서 죽음을 준비한다면, 그 이유의 본질은 사랑일 것이다. 선택이 아닌 필수가 되는 것이다. 그곳에서 어떻게 될지 모르는 불안한 죽음을 차분하게 받아들이고자 하는 것이다. 모든 일에는 시기가 있다. 태어난 것은 어쩔 수 없다 하여도, 죽어가는 과정은 선택으로 만들수가 있는 것이다. 잘못된 선택이라 그 누구도 꾸짖을 수 없는 것이다.

사람들이 선뜻 움직이기 어려운 곳을 찾았다. 서울에서 가장 먼곳이 제주였다. 제주는 그렇게 선택된 장소이다. 요양을 핑계로 제주 생활을 시작하였다. 서울에서의 모든 것을 정리하였다. 어떻게 될지 모르는 인생이라 흐느끼면서 내려왔다. 숲길을 걸었다. 의외로 숲속에는 나와 같은 질병으로 온 사람들이 많다. 죽을병 걸린 사람들이 마지막 기회로 찾아온 곳이 숲이었다. 그들과 묘한 동질감으로 공감과 위로를 주고받았다.

 기꺼이 이곳에 온 사람은 없다. 어쩔 수 없이 온 사람들이다. 아무런 일도 겪지 않고 인생을 살아갈 방법은 없다. 살아온 인생 경로, 살았던 지역, 나이들이 다르다. 육지에서 위로받지 못한 자들이 제주 숲속에서 낯선 사람들끼리 서로 위로하였다. 이름도 모르는 사람들이지만, 침착함과 고요함으로 맺어지는 인연들이다. 숲에서 호흡하는 자들에게 절박하게 필요한 것은, 사랑으로 연결되는 인간적 관계이다. 한번 보고, 두 번 보고, 집단이 형성되어 친밀감을 서로 표시한다. 병이 있는 자들이 모여 넋두리하는 모임이 형성된 것이다. 위로받지 못한 증오와 분노가 숲속에서 사라지는 경험을 한다. 사람들은 서로 비슷한 사람을 보면서 평안을 얻는다. 죽음과 슬픔에 대한 경험이 하나로 만들었다. 비슷한 소망을 다들 가지고 있다는 것을 서로는 알았다. 귀 기울여 나의 이야기를 들어줄 누군가 필요하였다.

 제주의 숲속에서 만난 사람들이 '나' '너'가 아니라 '우리'가 된다. 인간으로 서로 이해할 수 있는 경험을 '우리'가 되어 공유한 것이다. 서로가 상호작용을 하여 긍정적인 행동과 생각을 가진다.

우리한테 함부로 하는 모든 것과 싸워야 한다면서 격려한다. 서로가 가르친다. 저마다 존재함으로 가치가 있었음을 안다. 우울한 나의 슬픔을 위로하고 나를 살아 움직이게 한다.

아프고 힘든 시간이지만, 숲속의 바람과 햇살이 치유한다. 말하지 않을 뿐, 다들 잃어버린 사랑을 기다리고 있다. 별것 아닌 일상으로 마음을 힐링한다. 서울에서는 비울 수 없는 것들이 제주에서는 손쉽게 비울 수 있다. 숲속의 시간이 길어질수록 버림이 많아진다. 살 수 있을 것 같다는 동기부여들이 생긴다. 숲속에 올 때마다 얼굴에 주름살이 펴지고 있다. 어두웠던 얼굴에 미소가 보인다. 돌과 나무, 그리고 숲속 바람은 서로 무관한 우리를 이해하도록 만들었다. 그것은 인연이 되어 숲속에서 우리들의 세계를 만들었다. 남들이 보면 죽을병 걸린 사람들이 모여 쑥덕쑥덕 뭐하나 싶겠지만, 목마름으로 숲속에 모인 사람들이다.

죽음을 앞두고 쓸쓸하게 찾아온 제주인데, 이렇게 숲속에서 다들 자기 인생에 반전을 준비하고 있는 것이었다. 맘을 다스리면서 위로를 받는 것이다.

26.   너 내일 죽어, 통지서는 신이 보냈다.

　내일 죽는다면, '지금 무엇을 할 것인지?' '누구와 마지막 이야기를 나눌 것인지?' 항암으로 지쳐버린 몸뚱어리를 보고 내 정신이 묻는다. 신의 제물이 되어버려 고뇌에 빠진 사람이 믿음도 없이 던지는 질문이다. 필요한 것이 뭔지 알지도 못하면서 하는 질문이 무식하고 무섭다.

　병원에서 죽어가는 과정을 안다는 것이 잘못된 생각이 아니다. 절망의 느낌이 오면 잃어버린 신을 찾는다. 죽음은 내가 살아온 것에 신이 분노하는 것도 아니고, 나를 옳은 길로 인도하기 위해 툭 던져주면서 꾸짖는 것이 아니다. 신의 계획이 있다면 알고 싶다. 신의 마음을 움직일 수 있는 방법을 찾아본다. 사람이 신을 찾는 것은 두려움과 공포심에서 나오는 것이다. 이 두려움과 공포를 알고자 한 것이 로고스(logos)이며, 인간 철학의 시작이다. 그 옛날 사람이 그랬듯이, 눈에 보이지 않는 그 무엇이 두려움에 떨게 한다. 막연하지만 내가 '나'라고 인지하고 있는 실체가 세상에서 없어진다는 공포스러운 마음이다. 신의 선의가 나에게서 완전히 거두어지지 않았기를 바란다. 마지막 순간에 경직된 고립에서 신의 사랑으로 구원받기를 기도하는 것이다. 신이 '사랑'을 정말로 줄 것으로 믿는다. 거짓인 줄 알면서도 마음이 자꾸 이쪽으로 움직인다. 이 말밖에 할 말이 없다. "살려주세요"

시간을 신용카드 쓰듯이 막 쓰고 살았다. 그러던 어느 날, 51살에 청구서가 도착하고 알았다. 내일 죽는다면 1분 1초가 아까운 것이다. 공포와 두려움에 떠는 것도 시간 낭비이다. 죽음은 익숙한 모든 것과 이별하는 것이다. 슬프다고 슬픔에 젖어 시간을 보낼 수 없다. 분초를 모두 쏟아부어 인생 최고의 날이 되는 하루를 만들어야 한다. 하루살이처럼 오늘 하루를 목숨 걸고 살아야 한다. 내일 죽지 않는다면 나는 오늘을 대충 산 확률이 높다. 최악의 상황이 아니라서 만만하게 보는 것이다. 오늘까지 평생을 살아왔지만 기억에 남는 것이 별로 없는 것은, 오늘도 있고, 내일도 있으니 대충 산 것이다.

죽을 때를 정확히 안다면, '좋다, 나쁘다' 말하기 어렵다. 그런 상황에 빠진 사람과 진지하게 대화를 나눈 적이 없다. 설사 대화를 나누어도 피상적으로 받아들이고, 실감하지 못한다. 친구들에게 이야기한다. "나를 본보기로 삼아, 너희들의 인생 계획을 다시 짜라" 딸에게 이야기한다. "너를 힘들게 하는 것이 있으면 다 버리고, 그냥 인생을 재미있게 살면 된다." 그러나 내 말을 이해하지 못한다. 다들 내 이야기를 그냥 병에 걸린 사람이 하는 말로, 그러려니 한다. 신은 우리에게 영원을 주지 않았다. 신에게 생명을 주어서 감사하다는(창세기 2:7) 것은 죽기 때문에 감사한 것과 같은 의미이다. 탄생에서 죽음까지의 삶은 철저하게 개인적이다. 비슷한 상황에 빠질 수는 있어도 모든 상황은 사람에 따라 다르게 해석되고, 어떤 판단을 할 수 있는지는 절대 알 수가 없다. 암으로 투병 중인 모든 사람이 비슷한 감정에 빠졌다고 할 수 있는 것인지도 확신이 없다.

정해진 시간이든 아니든, 내가 언젠가는 죽는다는 것은 사실이고 모든 인간은 죽는 것이다. 다만 정확한 때를 모른다는 것이다. 신은 우리에게 '너, 내일 죽어'라는 말 한마디로 인간이 비참한 마음에 들어가도록 할 수 있다. 신은 인간에게 생명을 주고, 인생을 괴롭히다가 갑자기 죽이는 것을 즐기는 것인지도 모른다. 신도 무한한 시간을 보내야 한다. 지루하고 심심한 신도 뭔가 놀이가 필요한 것이다. 더 이상의 괴롭힘을 당하지 않아서 신의 선함을 찬송한다면 신과 나의 인연에 균열이 생긴다. 신은 신의 방식으로만 인간을 사랑한 것이다. 신의 방식을 무조건 이해하고 받아들이라고 한다면 그것은 사랑이 아니다. 신은 나의 죽음에 죄책감이 있어야 한다.

27. 숲속의 생명, 내가 명상 중에 밟아 죽인다.

한라산 숲길을 걷는다. 숲속 공기가 좋다. 숲속에서 시간은 질병을 치료하는 과정이다. 발에 밟히는 나뭇가지와 흙들, 그리고 숲속에 가득한 맑은 공기는 나의 피부에 젖어 스며든다. 숲속에서는 욕심이 사라진다. 점심 무렵에 와서 해가 지도록 마음을 다스린다. 그럼에도 딸과 아들에 대한 그리움은 어쩔 수 없이 올라온다. 삶의 시작과 끝에 관한 이야기는 다시 만날 날을 기다리고 있다. 아무도 없는 고요한 숲속에서 삶의 본질을 찾아간다. 어떻게든 살아남아 답을 찾아야 한다. 숲에서 눈을 감고, 그리운 이를 그리워한다.

동물의 진화는 생존이 목적이다. 명상은 숲속을 걷는 나를 성장시킨다. 숨을 들이시고 내뱉는다. 마시는 공기는 78%가 질소, 21%가 산소, 기타 1%로 구성되어 있다. 나를 포함한 모든 동물은 21%의 산소와 78%의 질소를 마시면서 살도록 진화하였다. 산소가 아니라 질소를 마시면서 살았다고 생각해 본다. 이성적으로 생각하면 산소가 아니라 질소가 필요한 것인지도 모르겠다. 나의 DNA는 지금의 대기 상태에 최적화되었다. 반대로 산소가 78%라면 나는 죽을 것이다. 이산화탄소가 21%가 되어도 나는 죽을 것이다.

　호흡하는 공기의 대부분은 질소이다. 내가 지구라는 별나라에 살아 있기 때문이다. 우주의 다른 생명체가 지구 위에 살아가는 나를 본다면 질소 속에서 살아가는 생명체로 이해할 것이다. 속고 있었다는 생각이 든다. 지금 우주의 공간에서 거대한 제3 눈을 뜨고, 나를 바라보는 어떤 무시무시한 존재가 있지 않을까 생각한다. 이성적으로 생각하고 판단하는 것이 모두 허상일 수 있다는 것은 새로운 발견이다. 나라는 존재가 우주에서는 별로 중요한 존재가 아니라는 것이다. 명상은 나를 별 볼 일 없는 존재로 만들어 간다.

　한라산 숲속은 햇빛이 들어오지 않아 어둑어둑한 숲이 많다. 나뭇잎 사이로 비치는 햇살은 육지에서는 볼 수 없는 멋진 모습이다. 그 숲은 명상의 길이 된다. 무슨 방법을 찾고자 온 것이 아니다. 방법을 찾을 수 없어서 걷는 것이다. 수많은 생명체가 숲속에서 살고 있다. 숲을 찾아온 것은, 숲속의 나무와 벌레들이 살아가는 이유와 같다. 이런 거친 환경에서도 오래전부터 사람은 동식물들과 살아왔다. 원초적 숲길이 태초에 창조된 우주의 모습이다. 이런저런 생각을 하면서 걷는 중에 무의식적으로 나무를 꺾고, 벌레를 밟는다. 예의도 없고 겁도 없는 무의식적 행위이다. 웃음이 나온다. 인생에 너무 의미부여 하지 않아도 될 듯하다. 내 발에 밟힌 벌레는 이유를 모르고 죽음을 맞이하였다. 숲길을 걸으면서 삶에 이유가 없을 것이라는 생각을 한다. 명상은 숲길을 나오면서 끝난다.

28. 삶의 의미, 그런 것 없다. 그냥 살자.

인생은 이렇게 살아야 한다면서 선각자들의 지혜가 담긴 수많은 명언이 있다. '맞는가?' 묻는다면, 아니라고 자신 있게 말 할 수 있다. 인간에 대한 철학이 고대부터 시작되면서 인생의 의미가 무엇인지 우리가 아는 많은 철학자가 수없이 묻고 고민하고 답하였다. 그들이 말할 수 있는 것은 궤변이 되고, 말할 수 없는 것은 침묵이 된다. 지혜와 무식이 위대한 철학자들 모두에게 나타난다. 사는 동안 끊임없이 확신을 찾아가지만, 알지도 못하고 죽음을 맞이하는 것이다. 흔들어도 흔들리지 않는 삶의 의미를 알고 죽는다면 가치가 있고, 알지 못하고 죽으면 인생의 가치가 없는 것인지 판단을 할 수 없다. 인간이 삶의 의미를 모르고 살았다, 해서 신 앞에서 죄의식을 가지고, 안타까워해야 하는 것은 아니다.

주신이도 신이고, 거두신 이도 신이오니 신의 이름이 찬송을 받아야만 한다. 신을 원망하지 아니한다(욥기 1:21-22). 삶의 의미가 신에게 있다는 것은 인간을 옭아매기 위한 거짓으로 가득한 궤변이다. 열심히 살아야만 한다는 것이 삶의 의미는 더더욱 아니다. 죽지 못해서 사는 것도 아니다. 우리는 '삶이 무엇인가?'라는 질문에 알 수 없다는 것이다. 어느 날 번뇌에서 벗어나 해탈의 깨달음이 왔다. 부처가 되었다면 침묵에서 벗어나 말할 수 있을 것이고, 궤변에서 벗어날 수 있을지도 모른다. 그래서 살아가는 인생의 의미를 알았다면, 과거의 삶은 없어지는 것이고, 현재의 삶이 의미 있는 것인가? 결국 해탈하여도 '삶이 무엇인가?'라는 질문을 또 하게 되어 있다. 그래서 세상의 모든 종교는 정통이든, 이단이든, 사이비든 뭐든 '그냥, 믿어라' 하는 것이다. 거짓말로 가득한 궤변일 뿐이다.

우리는 서로 바라보며, 상대가 생각하는 것보다 내가 능력이 더 있다고 생각한다. '재수 없는 놈'이라 할 수도 있지만 우리는 자기 잘난 멋에 그렇게 산다. 내가 아닌 다른 사람들을 쉽게 무시하고 산다. 세상 사람들이 내가 찾은 인생의 의미에 동의할 가능성은 아주 낮다. 모든 사람은 자기만의 인생철학을 가지고 살기 때문이다. 침묵에서 벗어나 궤변으로 가득한 말이 많아지는 이유이다. 자기 인생도 제대로 알지도 못하면서 남의 인생에 이러쿵저러쿵 개입하는 짓거리는 대부분 사람이 쉽게 하는 짓이다.

질병을 갖고 버티면서 살고 있다. 처음으로 내 인생의 의미를 찾아본다. 의미를 찾았지만, 그 의미를 달성할 수 없는 현실에 자책할 수도 있다. 의미는 개인적으로 다가오는 것이다. 사람들이 똑같은 삶의 의미를 가질 수는 없다. 그런 것이 있다면 이상적인 사회처럼 보일 수는 있지만, 무미건조한 삶으로 새로운 고통을 맛보면서 삶의 의미를 다시 찾아 나설 것이다. 내 삶의 의미가 나에게 중요한 것은 나만의 경험으로 울고, 웃고, 화내고, 소리치기 때문이다. 내 삶의 의미가 너에게는 의미가 없다. 내가 지금 죽지 않고 살고 싶다고 집착 아닌 집착으로 매달리는 것은, 내 인생의 의미를 더 가지고 싶다는 개인적인 욕망이다.

지금 내가 가진 인생의 의미는 절대적인 것이 아니다. 내 삶의 시간, 장소, 환경에 따라 상대적으로 해석되는 것이다. 아침 햇살에 어둠이 사라졌다 하여도 다시 밤이 오는 것이다. 닭의 모가지를 비틀어도 새벽이 오기도 하지만, 그 새벽은 극히 짧다. 세상에 절대적 진리는 없다. 지금 가진 의미는 헛것일 수 있다. 지금 질병으로 내가 원한 삶의 의미는 진짜 내가 원한 것이 아닐 수 있다. 나의 현실을 적당히 타협하고 합리화는 과정일 수도 있는 것이다. 그렇다면 인생의 의미를 찾는다고 에너지를 쏟아붓지 말고 그냥 살아도 된다. 남이 만들어 놓은 인생의 의미는 더욱 부질없는 의미이다.

29. 혼자 산다고, 그래서 외로운 것이 아니다.

혼자라서 외로움을 가지는 것이 아니다. 삶은 매 순간 혼자였다. 누군가 옆에 있어도 혼자라는 그것을 버릴 수는 없는 것이다. 의식은 늘 나만의 방식으로 전개된다. 너와 내가 마주 앉아 있어도 내가 보는 것은, 네가 보는 것하고 다르다. 반려동물인 개나 고양이가 보는 것하고 사람이 보는 것은 다르다. 그렇다고 너도 사람, 나도 사람, 사람이니 보는 것이 같다고 생각하면 치명적 오류에 빠진다.

아름답다 느낀 것이 너에게는 불쾌할 수도 있다. 진리라 생각하는 것이, 너에게는 받아들이기 어려운 철학일 수도 있다. 같은 경험을 가졌어도, 그것을 이해하고 받아들이는 지적 범위가 다르다. 사람들의 인식은 그렇게 만들어진다. '사람이 어떻게 그럴 수 있어?'라는 말은 내가 보는 것만 진짜라고 생각하므로 생기는 오류이다. 나는 나이기에 가지는 편견이 있고, 너는 너의 편견이 있다. 그것이 무엇인지 알 수가 없는 것이다. 안다면 편견이 아니다. 사람이 느끼는 외롭다는 감정의 시작점이다.

질병은 경제적 욕심을 버리게 하였고, 제주도에서 인생 후반을 시작하였다. 질병을 치료하고자 숲길을 다니고, 해안 길을 걸었다. 혼자라서 외롭지 않은지 사람들이 묻는다. 연말연시 혼자 살아가는 독거노인을 보듯이 나를 측은지심으로 바라본다. 그들의 기분을 맞추어 주기 위해 나는 더 불쌍한 척 연기를 할 때도 있다. 그들은 내가 불쌍하게 살 것이라 이미 생각하고 나에게 묻는 것이다. 외로움은 존재의 문제이다. 사람 속에 섞여 있어도 외로운 감정에 빠지는 경우가 대부분이다. 혼자라서 외롭다는 것은 편견이다.

특정 공간과 시간에 혼자라서 외로운 것하고, 저녁에 식구들과 있는데도 외로움을 느낀다면 그 외로움은 다르지 않다. 같이 있어도 외로움을 가지는 사람과 외로움을 못 느끼는 사람이 있을 수 있다. 남편은 외롭지 않은데, 아내는 늘 외롭게 산다. 반대의 경우도 있다. 상대가 왜 외롭다고 하는지 이해를 하지 못한다. 아이들은 자기들 방에 들어가 있고, 남자는 거실에, 여자는 안방에서 각자 시간을 보낸다. 외로움을 외로움으로 인식하지 못하는 사는 것이다. 같은 집에 있다는 이유로 착각하는 것이고, 편견에 빠진 것이다.

외로움의 본질이 같다. 서로의 다름을 인정과 존중으로 소통하는 것은 외로운 것이 아니다. 외로움의 시작은 사회적 관계의 단절에서 나오는 것이다. 대화가 안 통한다. 나를 이해하지 못하고 있다. 아무도 없다는 감정이다. 관계성이 없다는 것을 느끼는 순간에 외로움에 빠져드는 것이다. 시간과 공간을 함께 한다고 해서 외롭지 않은 것이 아니다. 사람들이 흔히 이야기하는 외롭다는 의미는 대화할 상대가 없다는 것이다. 반려견과 함께 하는 생활을 선택하는 것은 외롭기 때문이다. 말할 상대가 없어서 동물하고 이야기하고 싶은 것이다. 사실은 반려견의 똥오줌을 치우는 몸종으로 전락하는 삶이지만, 즐거운 마음으로 그런 인생을 선택한 것이다.

삶은 외로움의 연속 과정이다. 간헐적으로 외로움이 없어지기는 하지만, 죽는 날까지 반복되는 감정으로 살다가, 인생 후반전이 시작되면 그 시간이 점점 길어지기 시작한다. 대화할 사람이 점점 주위에서 없어지기 때문이다. 은퇴하고, 아이들이 독립하고, 배우자가 죽고, 친구들이 죽으면서 나타나는 현상일 뿐이다. 그래서 외롭지 않으려면, 건강하게 살려면 늙어서라도 뭔가 일을 하여야 한다는 논리가 나오지만, 받아들이기 어려운 주장이다. 외로움은 사람이 가지는 일상의 감정이다. 우리가 망각하고 있을 뿐이다. 그리고 스스로 감정 놀이하는 것이다.

제주에 있는 나에게 사람들은 '외롭지 않은지' 묻는다. 나는 그렇게 묻지 말고 '심심하지 않은지' 물어보라고 한다. 나는 심심할 시간이 없다고 한다. 외로움은 내가 인정한 또 다른 삶의 모습이다. 끊어져 가는 단절을 겁낼 필요가 없다. 내가 조금 더 살아야겠다는 지금, 이 시간을 사랑하고 있다. 미안하게도 내가 이해하지 못할 외로움은 없다.

30. 욕망, 불행으로 찾아와 나를 죽인다.

행복하게 사는 인생에 대해 많은 사람이 이야기한다. 행복은 공동체로서의 '나'가 중요한 것이 아니라, 개별적인 존재로서 '나'라는 존재를 먼저 생각해야 한다. 무엇이 되었든 내가 행복해야 한다. "내가 행복하지 않아"라는 말 한마디로 관계를 정리하는 것을 이해하지 못하면, 머리가 나쁜 것이다. 손과 발이 고생하는 삶이다. 잔인할 정도로 자기 맘에서 밀어내야 한다. 희생과 고통스러운 삶을 인내하면서 피할 수 있는 불행도 운명이라고 받아들이는 사람은 자아가 부족하고 약한 사람이다. 자아는 본능과 도덕에서 자신의 삶을 스스로 균형을 맞추어 나가고자 하는 의지이다.

다른 사람들의 관심을 받으면 행복을 느낀다. 행복이란 실재가 없어 사실확인이 안되지만, 진짜인 것으로 받아들이고 착각한다. 그 관심의 척도는 즐거움과 쾌락으로 압축된다. 즐거움과 쾌락의 강도가 커질수록 행복의 크기가 늘어나는 것이다. 대부분 권력과 사랑 그리고 돈에 연결되어 있다. 이러한 것이 많을수록 행복하고 비례한다고 생각한다. 돈에서 비껴간 일반인들은 행복은 돈으로 사는 것이 아니라고 스스로 위로한다. 무엇이 되었든 지금 가지고 있는 것보다, 가지고 싶은 돈, 사랑, 권력은 많을수록 좋은 것이다.

사람은 불행하게 살 수밖에 없다. 가지고 싶은 것을 가지면, 다시 가지고 싶은 것이 또 생기기 때문이다. 더 갖고 싶은 욕구는 만족할 수 없다. 채워지지 않는 것은 욕망이다. 나보다 더 행복한 사람을 인정하기 싫다. 내가 제일 행복한 사람이 되어야 한다. 다른 사람의 행복이 나에게 갈등으로 다가온다. 갈등이 욕심이 되고, 욕심이 욕망을 낳는다. 죽는 날까지 욕망을 서로 주고받는다. 때로는 사소해서 무시해도 되는 욕망이 칼날이 되어 자기가 사랑하는 사람을 죽음으로 이끌기도 한다. 욕심이 잉태하여 사망을 낳는다 (야고보서 1:15). 본인도 죽는 날까지 행복을 쫓아다니다가 죽는 것이다. 행복은 이미 자기 손안에 있지만, 조금도 알지 못한다. 욕망이 행복을 불행으로 만들고 죽음으로 끌고 간 것이다. 행복하게 살겠다는 목표는 누구나 가질 수 있는 욕심이지만, 욕심이 욕망으로 차오르면 절대로 행복해질 수 없는 것이다.

살아있다는 것은 아직 죽지 않은 것이다. 죽으면 끝이다. 그래서 살아 있는 동안에 끊임없이 욕심이 생기는 것이다. 적절한 욕심은 의욕으로 다가온다. 적정선을 넘어서면 통제가 어려워진다. 힐링은 이럴 때 필요한 것이다. 욕망으로 치달려 가는 마음을 일시적으로 끊어야 할 때 힐링을 하는 것이다. 자연을 벗하는 사람들이 늘어나는 이유이다. 삶에 대한 욕심을 욕망으로 가져가지 않고, 긴 호흡으로 손에 쥔 것에 만족하는 시간이다. 행복하겠다는 것은 본능이다. 아무런 지침 없이 자발적으로 나타나는 충실한 본능이 바로 행복이다. 사회적 관습에서 벗어나는 시간을 가지겠다는 것이 자연에서 느끼는 힐링의 시간이다. 욕망은 부질없다는 것을 깨닫는 것이다. 발가벗은 원초적인 자연에서 비로소 행복이 찾아지는 것이다.

　질병으로 제주에 내려오면서 끝이라 생각하였다. 한라산 중턱에 있는 치유의 숲을 찾았고, 명상하였다. 제주에서 죽을 수도 있다는 마음으로 내려왔다. 제주에서 하루가 가고, 일 년이 간다. 시간이 지나면서 가지고 싶은 것은 적어지고, 내 손에 쥐고 있는 것은 점점 커졌다. 불행이라 생각하였던 그 모든 것은 행복의 또 다른 모습이었다. 돈와 사랑, 권력에 대한 집착은 나의 욕망이었다. '나'라는 존재가 행복을 측정하는 기준이 되어야 했었다. 욕망이 사라지면서 생긴 것이다. 다시 건강이 회복되면 뭔가를 가지고 싶다는 욕망이 나를 망치게 할 것임을 알고 있다. 내가 서울로 올라가지 않는 이유이다. 서울을 떠나 이곳에 사는 것은 내가 행복하게 살겠다는 나의 욕심이다.

31. 떠난 친구, 남은 친구, 누구인가?

혼자가 싫어 어린 시절부터 친구를 만들었을 것이다. 누군가와 동질성을 느끼고 관계의 비밀을 공유하면서 친구가 되었다. 진정한 우정을 나눈다는 생각에 그들과 함께 시간을 보냈고, 돈을 썼다. 아깝지 않았다. 무조건의 믿음을 그들에게 보여주었다. 친구들이 없는 인생은 상상할 수 없고, 무의미하였다. 어리면 어릴 때 그 마음으로, 늙으면 늙은 그 마음으로 친구들과 뭐든 가능할 것 같다는 생각이었다. 친구들이 없었으면 인생이 어떻게 되었을까 생각을 하면서 친구들을 만들고, 사귀고, 어울려 다녔다.

친구 관계의 중요성은 '3명의 친구가 있으면 성공한 것이다.'라는 말로 설명이 된다. 3명의 지혜가 모여 더 좋은 결론을 내릴 수 있다는 일본의 속담에서 유래한 것이다. 3명이라는 말에 '겨우 그 정도'라는 말로 코웃음 치며 수십 명의 친구를 둔 나는 성공한 사람이 된 듯했다. 나를 이해해 주는 사람과 친구로 인연을 맺는 것은 가치 있는 삶이다. 친구가 없는 삶은 삭막한 삶이라 할 수 있다. 나이를 먹어가면서 점점 더 많은 서로의 비밀을 공유하게 되었고, 위로가 필요할 때는 서로를 찾았다. 소주 한잔을 마시면서 남자의 가슴으로 같이 울고 웃었다. 사는 속도는 서로가 달라도 같은 곳을 보고 있다는 동질감으로 친구가 되었다. 앞서거니 뒤서거니 하면서 그렇게 인생을 같이 살았다.

친구라 생각하였던 그들이 투병 중인 내 생활에서 사라지고 있다. 이해할 수 있다. 겨울철에 떨어지는 꽃잎을 바라보며 즐거워할 사람은 없다. 스스로 먼저 연을 끊는 친구들이 생기었다. 아픈 나를 보는 것이 그들에게 편하지 않은 것이다. 그 어떤 위로를 전해도 나를 위로할 수 없음을 알고 두려운 것이다. 나이를 먹을수록 옆에 친구가 없다는 것과는 다른 의미이다. 의도하지 않았어도 친구들이 정리되고 나누어지기 시작한다. 몇의 이름들은 친구라는 이름에서 지웠다. 지우다 보니 꽤 숫자가 꽤 된다. 3명의 친구를 갖는 것이 어려운 것임을 알았다. 인간관계가 영원할 것이라 믿었던 나의 믿음이 잘못된 것이었다. '너'보다는 '나'라는 인간의 본성에는 애초부터 '진정'이 존재하기 어려웠다. 처음부터 무리한 욕심이었다. 세상 풍파를 겪고 살아가면서 친구라는 이름으로 다가가고, 다가온 사람의 대부분은 그랬다.

초등학교 시절에 친구로 만나, 지금껏 친구라는 이름으로 옆에 있는 한 친구와 1박 2일 여주에 있는 강가로 캠핑을 하였다. 나와 같이 추억을 만들고 싶다는 친구의 간절한 요청을 거절할 수 없었다. 50대 중반의 남자 둘이서 밤새도록 모닥불 앞에서 수다를 떨었다. 내가 아프다고 하여 나하고 시간을 보내고 싶었다는 친구의 말이 가슴으로 이해된다. 밤하늘이 별을 보면서 지난 40여 년의 시간을 낄낄거리면서 이야기한다. 첫사랑, 연애, 결혼, 일, 사업, 실패, 추락, 도전 등등 삶의 눈물이 웃음으로 오고 간다. 교회의 장로가 된 친구가 마지막에 나의 손을 잡고 기도한다. 친구에게 이야기한다. "내가 죄가 있다면 열심히 살아온 죄밖에 없다." 밤하늘 모닥불 앞에서 친구도 울고 나도 운다.

친구로 다가오고 다가간 스쳐 가는 인연에 연연하여 시간을 낭비하였다. 그 사람들을 알기 위해 비워 놓았던 시간을 이제부터 '나'를 알고자 사용한다. '혼자'를 막연히 두려워하였던 어린 시절의 나가 아니라 중년의 늙은이다. 숫자는 중요한 것이 아니었다. 3명이 아니어도 괜찮은 것이었다. 좀 더 일찍 알았다면, 친구라는 이름으로 상처를 지금보다 덜 받았을 것이다. '평생 나와 함께할 진정한 친구는 '나'라는 것을 백혈병이 가르쳐 주었다. 일단 1명 확보한 것이다. 그리고 '너'가 있다. 그러면 됐다. 내가 나를 사랑해야 한다.

32. 생존본능, 치유의 과정이다.

적응하는 모든 것은 생존이다. 모든 생물체는 진화과정을 거치면서 강자가 살아남는다. 완벽하다는 뜻이 아니다. 살아남을 수 있는 최적의 존재로만 진화하는 것이다. 아무리 좋은 기능이 있어도 생존에 불필요하면 없앤다. 때로는 불편하지만 살아남기 위해 환경에 순응하면서 살아가는 것이다.

사람도 마찬가지이다. 죽지 않고 살아남겠다는 것은 용기만으로 되는 것이 아니다. 외부의 자극이 있어야 동기부여가 된다. 아무런 사건이 없이 스스로가 동기를 부여하여 살아가는 경우는 극히 드물다. 감정의 기복만큼 신체 기능의 변화도 많다. 통증의 강도는 내 의지에 따라 변한다. 나의 의지는 우연에서 나오는 것이 아니라, 상황에 따라 좌우된다. 운명을 극복하고, 인생을 이렇게 끝낼 수 없다고 생각하였을 때 내 의지가 강력한 힘으로 몸에 자극을 준다. 행동하지 않은 의지는 게으른 것이다. 지금 병을 이길 수 있다는 의지는 동물이 선택하는 진화의 과정과 다를 것이 없다.

어느 날 골프를 치다가 골프채를 떨어뜨렸다. 다시 채를 들었지만, 다시 떨어뜨렸다. 병원 응급실을 갔고, 신경이 굳어지는 병을 얻었다. 전 세계 IT 산업을 대표하는 회사의 임원으로 한국의 소프트 업계를 이끌던 분이다. 모든 것을 일순간에 버려야 했고, 생존 본능으로 제주에 내려왔다. 동기부여는 지금 죽을 수 없다는 것으로 단순하다. 숲속을 걷는 중에 이 사람을 만났다. 식이요법, 현대 의료기술, 민간요법, 운동요법 등 생존본능을 가지고 살아남기 위한 이런저런 말을 주고받았다. 몸이 더 망가지지 않도록 유지하는 것이 우리가 할 수 있는 마지노선의 진화과정이다.

21세기에서 이제 57년 살아온 내가 10,000세기 이전의 진화과정을 생각해 본다. 유전자분석의 발달로 인하여 인류의 진화계통은 약 700만 년 전 침팬지와 함께 공통 조상으로부터 분화되었고, 그 뒤 600 만년쯤 지나서 나타난 호모에렉투스에서 네안데르탈인, 데니소바인 나타났으며, 현생인류의 조상인 호모사피엔스는 30만 년 전쯤에 나타났다. 모든 동물을 다스리는 절대적 존재인 인류의 시작은 새로운 삶에 대한 지배 욕구와 환경에 대한 적응과정으로 시작된 것이다. "바다의 물고기와 하늘의 새와 땅에 움직이는 모든 생물을 다스리라 <창세기 1:28>" 신의 뜻은 이렇게 인류의 진화과정에서 자연스럽게 이루어졌다.

사람들이 갖는 질병은 죽음의 과정으로 퇴화하는 것이 아니다. 질병을 이겨낼 의지가 온몸에서 생기(生氣)로 뿜어져 나온다. 지금 내가 존재하는 이유이다. 혼자 힘으로도 생존할 수 있다는 믿음이 있다. 내가 가장 무서운 것은 세균과 바이러스의 감염이다. 세균과 바이러스에서 동물들이 살아남기 어렵다. 고대에 살았던 동물들이 대부분 진화과정에서 죽음으로 도태된 원인이다. 세균과 바이러스에서 살아남은 동물이 계속된 강한 생명력을 얻어 진화한 것이다. 질병 자체는 겁나지 않지만, 이들의 존재는 나의 의지와 관계없이 내 생명을 앗아갈 수 있다. 눈에 보이지 않아 어떻게 손을 쓸 방법이 없는 것이다. 병원에서도 이러한 위험을 알고 있다. 생존은 세균과 바이러스에서 살아남은 자의 몫이다. 나의 생존본능으로 코로나19의 펜데믹이 시작되자 집안에 들어박혀 밖으로 나오지 않았다.

33. 장애물 달리기, 인생은 선착순이 아니다.

삶은 선택이다. "로버트 프로스트 – 숲속에 두 갈래 길이 있었고, 나는 사람들이 적게 간 길을 택했고, 그것이 내 모든 것을 바꾸어 놓았다."

신은 우리에게 끝나는 시간을 알려주지 않았으므로 내 삶에 남아 있는 시간은 영원하다고 생각한다. 끝이 있다는 것을 알면서도 인정하기 싫은 반응이다. 신의 말씀에 네가 반드시 죽으리라(창세기 2:17). 어쩌면 신이 인간의 DNA에 부정적인 이미지로 죽음을 새겨 놓았는지도 모른다. 사람은 언젠가 죽는다는 것을 알면서도 본능적으로 생각 자체를 하지 않고, 인정도 하지 않는다.

살면서 젊은 날에 선택하지 않았던, 가지 않은 길을 후회할 필요는 없다. 살면서 어떤 순간도 망설일 필요가 없다. 후회라는 것은 선택하고 그 길을 가봐야 생기는 것이다. 내가 할 수 있는지 없는지는 해 봐야 안다. 잘하는지 못하는지도 마찬가지이다. '하고 싶은 일' '해야 할 일' '잘하는 일' 중에서 하나를 선택하는 것은 중요하지 않다. 해 보고 할 수 없는 일이면, 다시 되돌아 다른 길을 가면 된다. 적성에 맞는 일을 찾아야 한다고 하지만, 죽는 날까지 자기 적성에 맞는 일은 뭔지 모르고 죽는 경우도 많다. 후회라는 감정보다 더 무서운 일은, 조금만 더 인내하면 결과를 보았을 터인데 가던 길을 포기하고 뒤돌아 가는 경우이다. 이 또한 알 수가 없는 것이라서 어쩔 수 없다. 중요한 것은 한번 산다는 것이다. 시간이 부족한 것 같지만, 주어진 시간은 의외로 길 수도 있다.

매일매일을 선과 악, 옳거나 그르거나, 더하기 빼기, Yes or Not, 두 가지 중의 하나 선택한다. 이러한 선택은 직관적이다. 직관은 영적인 본능이다. 사람이 생령이 되었다(창세기 2:7)는 말은 인간 외에는 직관을 가질 수 없다는 것이다. 합리적이고 논리적인 의사결정 과정이 아니다. 본능적으로 죽음을 피하고, 생을 찾아가는 것이다. 컴퓨터는 정보처리를 0과 1의 조합으로 이루어진다. 직관적 판단이 컴퓨터 기술로 나타난다면 AI는 생식기능이 없을 뿐이지, 새로운 인류의 탄생으로 인정받아 마땅하다. 신이 인간을 만들고, 인간이 자기와 다른 종류 인간을 만든 것이다. 그러나 이러한 직관은 AI가 가질 수 없다. 직관이란 개념은 신이 인간에게 준 선물이다. 선함과 악함, 삶과 죽음의 판단은 사람만 할 수 있는 것이다. 사람에게는 영혼이 있지만, 컴퓨터에는 영혼이 없다.

하고 싶은 일이라서 잘하는 것이 아니다. 잘하는 일이라서 하고 싶은 것이다. 내가 잘 할 수 있는 일인지 아닌지는 해 보기 전까지는 모르는 것이 인생이다. 내가 나를 모르는데 타인이 나를 안다는 것은 거짓이다. 남의 말에 내 삶을 맡기는 것은 스스로가 인간이기를 포기한 것이다.

30대에 IT 사업하다 실패하고, 40살이 되어 부동산 산업에 뛰어들어 사업을 하면서 내가 하고 싶은 일, 내가 해야 할 일이 부동산업에 있었다는 것을 알았다. 대학 졸업 후 40살이 되도록 다른 길을 걸었다. 처음부터 다시 길을 걸으면서 이 일을 더 잘할 수 있다는 생각에 부동산학 박사학위를 받았다. 이전에 걸었던 그 길보다 새롭게 다닌 길은 재밌었다. 일이 놀이였다. 51살이 되었을 때, 백혈병이 나의 길을 막았다. 더는 길을 걸을 수 없음을 알았고, 이렇게 끝날 수 있음을 알았다. 놀란 가슴에 길에 주저앉아 울었다. 장애물 달리기에 다리가 걸려 넘어진 것이다.

일어나서 다시 걸어 볼 것인지, 그냥 주저앉아 있을 것인지 선택이다. 장애물 달리기는 뛰어넘으라고 있는 것이다. 장애물 경기는 장애물에 발이 걸려 넘어지라고 만든 것이다. 그래서 넘어지면 탈탈 털고 다시 일어나 달리면 되는 것이다. 넘어져 있는 사람에게 박수를 보내는 것이 아니라, 일어나서 끝까지 달리는 사람에게 박수를 보내는 것이다. 인생은 장애물 경기이다. 하지만 인생은 기록 경기가 아니다. 숲속에 있는 길을 늦게 찾았으면, 남보다 늦는 것이 당연하다. 그 길을 걸으면서 행복하면 된다. 삶의 시작은 내 선택이 아니었을지라도, 그 이후로 걸어가는 길은 나의 선택이다. 장애물은 인생 경기에 늘 상 있는 것이다.

34. 죽을병 겪었거든, 그래서 재미있게 살고 싶다.

하늘의 뜻을 알아 그에 순응할 수 있는 나이가 지천명이라 한다. 따라서 100세 시대에 후반전을 살 나이가 되었다면, 세상을 바라보는 자기만의 이치는 그 자체로 고유한 가치가 있다. 세상은 사람이 만들지만, 내 인생은 내가 만드는 것이다. 전반전을 좋은 사람, 나쁜 사람 뭐로 살아왔든 후진이 없는 내가 만든 인생이다. 인생 후반전을 살면서도 마찬가지이다. 때로는 바보 같은 처사라 비난을 받을 수도 있지만, 자신의 삶을 당당히 보여줄 수 있음에 주저함이 없어야 한다. 내 인생이 부끄러운 것이 아니기 때문이다.

세상에 나를 보여주는 것은 그 자체로 소중한 것이다. 인간은 개별적으로 다른 경험으로 산다. 같은 하늘을 바라보아도 다른 느낌이다. 따라서 이러한 고유의 경험은 타인과 비교의 대상이 되지 않는다. 내가 보고 듣고 판단한 것이 무엇인지 표현하면, 그것으로 가치 있는 것이다. 삶은 예상하지 않았던 방법으로 가혹하게 나에게 다가온다. 제주 생활에 대한 나의 선택은, 살면서 한 번도 생각해 본 적이 없는 낯선 것이었다. 인생은 죽을 때까지 '세상에 이런 일이' 하면서 한숨 쉬고 무릎 치면서 깨달음의 연속 과정으로 사는 것이다. 그렇다면 내가 살아온 경험을 세상에 보여주는 것은 부끄러운 일이 아니다.

경험은 지식을 만나서 지혜가 된다. 어린 나이에 위인전을 읽고, 사회생활을 하면서 성공한 사람을 롤-모델로 삼는 이유이다. 세상에 보탬이 되는 인간으로 보는 것이다. 그들을 통해 서로 공감할 수 있는 경험이 있다고 판단하는 것이다. 그 사람의 경험이, 나의 지식이 될 것이라 믿는다. 그래서 그들처럼 살 수 있을 것으로 생각한다. 착각이다. 실상은 그렇지 않다. 그런 방법으로 삶에 대한 지혜를 얻을 수 있을 것 같지만, 삶은 그런 식으로 우리 앞에 나타나지 않는다. 대부분 사람이 성공하지 못하는 이유이다. 위대함과 평범함은 종이 한 장 차이보다 못하다. 흥미로운 것이 아니다. 우리는 그 차이를 대부분 알고 있지만, 극복하는 경우는 거의 없다. 경험을 갖기 위한 첫 용기를 경이로움으로 보지 않고 가벼운 것으로 취급한다. 스스로 찬 바람을 맞으며 얼음장을 깨고 찬물에 들어가지 않는다면 얼음물이 한겨울에 피부에 와닿는 고통을 전혀 알 수가 없다. 눈에 보이는 위대함 뒤에는 눈에 보이지 않는 인내, 고난, 좌절, 방황, 고통, 절망의 늪을 걸어 온 괴로운 시간이 있는 것이다. 말로 해서는 얼마나 괴로운지 그 크기를 알 수 없고, 절대로 공감할 수 없는 경험이다. 그 경험을 통해서 습득한 지식은 더욱 알 수가 없다. 경험은 공유할 수가 없는 것이다.

인생 전반전을 살아온 원초적 힘으로 100세 시대의 후반을 설계하는 것이 일반적인 모습이다. 대부분의 은퇴 설계는 돈에 맞추어져 있다. 거의 모든 은퇴 설계 상담도 이렇게 이루어진다. 잘못된 설계이다. 돈에 대한 설계는 전반전에서 지겹게 하였다. 우리는 죽는 날까지 계속 살아야 한다. 오래오래 살아야 한다. 또 돈을 염두에 두고 설계에 들어가면 대학을 졸업하고 사회에 뛰어들었던 전반전 인생의 출발점이 반복되는 것이다. 바닥부터 치열하게 살았는데, 후반전 인생도 그렇게 살고자 설계한다면 방향을 잃은 것이다. 나이만 먹었을 뿐, 사는 모습은 똑같은 것이다.

질병이 모든 것을 바꾸고, 삶의 방향을 틀었다. 인생 후반전에 새롭게 살아보자는 욕심이 생기었다. 강렬한 유혹이다. 제주 생활을 보내면서 나이를 먹어간다는 것이 설레는 흥분으로 다가왔다. 서울에서 살아온 흔적을 아낌없이 모두 버리기로 하였다. 내 인생은 전반전과 후반전이 다르게 전개될 것이다. 지식과 경험에 대한 또 다른 도전이다. '나'만 생각하고 살아야 한다. 오늘을 살아가는 이유가 '나'에게 있는 것이다. 죽지 않고 아직 살아있다는 것을 특별한 경험으로 알게 된 것이다. 그러면 재미있게 살아야 한다. 새로운 경험으로 살아갈 후반전은 슬픔이 아니다. 삶의 기회가 새롭게 오는 순간이다. 질병은 나에게 슬픔이 아니라 기회이다. 심장이 새롭게 뛴다. 재미있게 살아야만 한다.

35.   백혈병, 불행과 행복의 시작이 되었다.

·

사람들은 더 멀리 보고자 하면 할수록 미래를 보지 않고 과거를 본다. 사람은 백혈병 걸린 나를 본다. 제주도에 혼자 살아가는 쓸쓸한 중년의 남자를 보고 있다. 내가 행복하지 않을 것으로 생각한다. 죽을병 걸려 돈도 못 벌고 외롭게 제주에서 투병 생활하는 내가 자기들보다 즐겁게 인생을 산다는 것을 받아들이지 못하는 것이다. 그들은 나를 감성적으로 보고 있다. 내가 이렇게 살아도 되나 싶을 정도로 행복하다고 이야기해도 소용없다. 내 생각이 중요한 것이 아니다. 보고 싶은 대로 보았고, 그들이 보기에 내가 안쓰러운 존재가 되어야만 하는 것이다.

사람은 각자가 가지는 잠재력으로 자기만의 삶의 방식을 통하여 좋은 삶을 추구한다. '좋은 삶'에는 타인을 의식한 것이다. 혼자 사는 것이 아니라 이런저런 관계를 구성하여 살기 때문에 타인의 삶과 내 삶을 비교하였을 때 발생한다. 사람은 스스로 정신과 행동을 지배할 수 있다. 이성과 감성을 적절하게 섞어서 순간순간 결정하면서 산다. 인간만이 가진 특성이다. 이것을 우리는 생각이라고 한다. 그래서 사람은 완벽하게 살 수 없는 것이다. 100% 이성적인 사람도, 감성적인 사람은 없다.

　감각적으로만 산다면 동물이고, 이성과 감성 둘 다 없으면 식물과 같은 것이다. 사람을 개에 비하하여 욕을 만드는 것이나, 의식이 없는 사람을 식물인간이라 칭하는 이유이다. '남자는 다 개다.'라고 한 친구가 술좌석에서 농담한 적이 있다. 남자들이 여자들 꽁무니 쫓아다니는 껄떡거리는 모습이 한심하다는 것이다. 본능적으로 사는 모습이 너무 강해서 사람 같지 않다는 것을 이야기하는 것이다.

　좋은 삶이란 행복하게 사는 것이다. '행복한 삶'은 본인의 관점이 중요하다. 행복이 무엇인지 사람마다 다르게 이해될 수 있지만 '잘 사는 것'으로 압축된다. 죽음의 순간에 '이 정도면, 잘 살았다.'라는 말을 하고 죽기를 희망한다. 죽는 그 순간까지, 이성과 감성이 늘 혼재하여 매 순간 말과 행동에 대한 선택을 강요한다. 이성과 감성을 어떻게 적절하게 섞을 것인지 개인의 취향이다. 행복이란 감정은 그런 과정에서 순간순간 만들어지는 감정이다. 실체는 없지만 우리는 이러한 감정을 느끼면서 황홀감을 맛본다. 남녀가 만나서 느끼는 사랑이란 감정도 이와 유사하지만, 이성적인 판단보다는 감성적인 판단을 더 중시하는 것이 행복과 사랑의 차이이다. 사람은 자신의 삶에 대한 목적을 만들고, 그 목적을 이루어 나가는 것이 삶의 과정이라 할 수 있다. 삶의 과정에 행복이 있기를 바라는 것이다.

본능에 따르는 선택과 이성적 판단에 따른 선택이 상호작용한다. 욕구나 욕망만을 추구하면서 사는 사람들이 주위에 꽤 많다. 그들을 보면서 부러워하기도 한다. 가볍게 만나고, 헤어진다. 인간관계에 진지함이 없다. 그들의 삶을 보면서 가끔 질투도 하지만 그들의 삶을 인정하지 않는다. 질투하는 것은 감성이고, 인정하지 않은 것은 이성이다. 우리는 그런 친구들을 가벼운 사람으로 인식한다. 철없는 사람 또는 한심한 사람으로 어린아이처럼 취급하는 것이다. 즉 자신의 존재에 따른 실체적 고민이 없는 사람으로 대하는 것이다. 대 놓고 무시하지는 않지만, 속으로는 무시한다. 이성적 판단이 부족한 사람으로 깔보는 것이다.

특정된 시간과 장소도 필요한 것이 아니다. 어느 날, 점심때 행복했다가 저녁때 불행해지는 것이다. 늘 삶의 과정에 불현듯 찾아오는 것이 '아, 행복하다.' '아, 힘들어' 같은 감정이다. 그냥 그렇게 행복을 느끼고 불행하다고 생각하는 것이다. 생각이 가장 큰 힘으로 작용한다. 어떻게 생각할 것인지는 인생의 파도를 타고 오면서 각자가 만든 인성과 품성 그리고 삶의 철학으로 만들어진다. 생각의 앞뒷면이 행복과 불행으로 나타난다.

누군가의 삶을 판단할 때는 현재의 모습을 보지 말고, 그 사람이 추구하였던 삶의 과정을 이해해야 한다. 우리는 살면서 힘든 일을 많이 겪는다. 사람으로 살아가는 동안에 슬픔, 고난, 좌절, 고통을 피할 방법은 없다. 이성적 판단으로 보면 힘들다는 것은 불행한 것이 아니다. 어떤 특정 사건에 대한 감성이다. '좋은 삶'이든 '잘 사는 삶'이든 불행이 인생에 전혀 없을 수가 없다. 살아가는 과정에서 슬픈 일과 고단함이 있어, 이성적 판단으로 극복해 나가는 과정에서 행복이 오는 것이다. '힘든 삶'이 있었기 때문에 '좋은 삶', '잘사는 삶'이 된 것이다. 백혈병은 나에게 슬픔으로 다가왔지만, 지금은 그 슬픔이 변하여 새로운 행복으로 다가오고 있다. 백혈병이 있어 내 삶이 행복해졌다는 이상한 논리가 만들어지는 것이다. 사람들이 무엇을 보는지는 중요하지 않다. 삶의 과정에 내가 어떻게 생각하고 있는지 중요한 것이다. 사람들은 나의 과거를 보지만, 나는 나의 미래를 보는 것이다.

36. 연극, 죽어야 끝난다.

죽음을 불교에서는 입적 또는 열반이라 한다. 사라짐을 의미하지만, 종교적 의미로는 깨달음을 얻어 불생불멸의 부처의 세계로 들어갔다는 것이다. 음식을 끊기도 하고, 숨을 참아 입적을 하는 스님들을 볼 수 있다. 죽음에 대한 강한 의지이며, 유희를 보여주는 것이다. 인생은 결과만을 보여주는 게임이 아니라는 것을 중생들에게 깨우침을 주는 행위이다. 스스로 죽음을 선택한 이들에게 인생은 오히려 연극에 가깝다. 스님들은 스스로 연극이 끝났음을 중생들에게 알리고 기쁜 마음으로 열반에 들어간 것이다.

사람은 '인생'이란 1인극의 배우이다. 감독도 아니고, 시나리오를 쓴 작가도 아니다. 어느 날 갑자기 막이 오르면서 단 1회 공연으로 끝 나는 연극 무대이다. 스스로 주인공도 하고, 조연도 하고, 행인의 역할을 한다. 슬프고, 고통스럽고, 즐거운 연기를 하면서 울고 웃는다. 하지만 이러한 모든 행위는 연기이다. 사전에 예행 연습도 없었다. 정확히 무엇을 보여주는 연기인지는 무대가 끝나봐야 알 수 있다. 정해진 대본도 없으므로 연기를 하면서 즉석에서 스토리를 만든다. 당황스럽지만 배우로 태어난 인간은 연기를 할 뿐이다. 그 누구도 상상하지 못한 즉석 연기를 각자 보여주고 있다. 이해할 수 없는 일이 연극 하는 동안에 벌어지지만, 연기는 연기일 뿐이다. 그렇게 시간이 지나면 연극은 끝이 나는 것이다. 재공연은 없다. 연기가 서툴러 잘못되었다 하여도 1인극의 연극무대라서 가치가 있는 것이다. 다른 배우의 연극과 비교할 필요도 없다. 평가는 유일한 관객인 신들의 몫이다.

삶이 시작되면서 근거도 없는 자신감을 가지고 살았다. 잘난 척 떠벌리고 다녔다. 나의 헛소리는 남을 의식한 거짓이었다.

내 연극을 내가 즐기지 못하였다. 연극에 솔직하지 못한 것이다. 흥미로운 시간이 아니었다. 조바심에 마음을 단단히 먹으면 먹을수록 실수투성이다. NG였지만, 두 번 할 수 없다. 좋은 연기가 아니었음을 이제 알았다. 내 주위의 사람들도 난처해한다. 나는 점점 더 꼬여만 갔다. 분위기는 더 썰렁해졌다. 나 자신에게 떳떳했어야 했다. 그래야 재밌는 연기가 되는 것이었는데, 연기를 연기로 받아들이지 못한 것이 착각이었다. 끝이 없다고 생각하는 실수를 저질렀다. 반드시 끝이 있다는 것을 알았으면, 이렇게 재미없이 인생을 연기하지 않았을 것이다. 비극도 희극도, 이렇게 힘들게 연기 안 해도 되는 거였다. 그냥 즐겨야 했었다. 이것을 인정하지 않은 것은 실수였다.

백혈병이 나타나고 나서야, 당황하는 나에게 연극무대가 끝나가고 있음을 알려주고 있다. 처음으로 나의 연기에 대해서 진지하게 생각한다. 아직 끝나지 않은 연극무대에 마지막 장식을 어떻게 할 것인지 고민하는 것이다. 지금까지의 인생은 '잘 못 살았네' 하고 다 잊어도 된다. 엉망진창으로 살아온 지금까지의 인생은 연습이라고 하자. 실수했다고 인정하자. 잘못된 연기였음을 고백하고 이제 남은 인생을 잘 살면 된다. 배우는 연기를 재밌게 하면 된다. 이제부터 내가 대본을 쓰면서 연기하자. 이 연극은 오로지 나만 할 수 있는 것이다.

내가 나에게 각인을 시키고 있다. "연극이 조만간 끝난다." 죽음은 자연스러운 것이다. 살아 있다는 것과 죽어간다는 것은 같은 말이다. 삶의 끝은 죽음이다. 놀라운 것이 아니다. 죽음을 아는 것과 모르는 것, 어느 쪽 연기 인생이 더 재미있을지 생각해 본다. 그냥 죽음의 순간까지 내가 쓴 대본에 따라 울고 웃고 즐기면 된다. 나는 나의 남은 시간, 인생을 즐기면 되는 것이다. 끝날 때까지 오로지 즐겁게 살아야 하고, 재미있게 살아야 한다. 죽음을 열반의 즐거움으로 즐긴 스님도 나와 같은 이유일 것이다. 죽음의 시간을 예측할 수 있다 하여 즐겁게 살지 않을 이유가 단 하나도 없다.

37. 나만, 즐거우면 된다.

사람은 자기 인생을 처음이자 마지막으로 살아보는 것이다. '너'나 '나'나 인생을 완벽하게 모르면서 산다. 그런데 아는 척한다. 나를 세상에 있게 해 준 부모를 포함한 그 어떤 사람들도 마찬가지이다. 삶은 정답이 없다. 나이 든 사람들이 해주는 이야기가 잔소리인 이유이다. 자기 인생을 말랑말랑하게 사는 사람 없다. 이를 악물고 사는 것이다. 늘 다니던 길도 눈이 내리거나, 비가 내리면 처음 가보는 길처럼 흥미로울 때가 있다. 걸어본 길이라고 해서 그 길을 완벽하게 아는 것이 아니다. 늘 새로운 길이다. 지금 너와 나, 인생은 처음 살아보는 것이다. 단지 나이가 다를 뿐이다. 살아오면서 조언이라는 윗사람의 지적을 진심으로 받아들였다. 그것이 가짜라는 것을 알기까지 50년이 걸렸다.

세상의 모든 이들은 자기들 인생을 처음 살아보는 중이다. 개인적인 호불호에 따라 즉각적인 선택이 매 순간에 있었을 뿐이다. 삶에 대해 모른다는 것을 인정해야 하는 이유이다. 네가 살아온 과거를 알면 알수록 거짓된 삶을 볼 뿐이다. 살아오면서 가지고 있던 신념은 대부분 명확하지 않다. 대부분 이기적인 선택이었다. 자기의 즐거움과 쾌락을 추구하기 위해 사랑, 희생, 도리 같은 뭔가 그 럴싸한 말로 포장한다. 가까운 사람일수록 이용하기가 더 쉬운 것이다. '진짜 나를 위한 것이었어?' 따지고 들면 입이 열 개라도 할 말이 없을 것이다. 자기의 체면, 자기의 만족, 자기의 기쁨을 위해 나를 이용하는 것이다.

치료 과정에서 죽을 수도 있는 그런 백혈병이 발생하였고, 항암을 하면서 생명보험사로부터 보험금이 나왔다. 보험금 계약자가 나와 다르지만, 의심하지 않았다. 그러나 보험금은 항암 치료비로 쓸수 없었다. 계약자가 자기 것임을 주장하여 가지고 갔다. 건강한 나의 삶을 축복하는 사람이 아니라, 내가 죽을병 걸리기를 오랜 시간 기다렸던 사람이라는 생각이 혼란스럽게 하였다. 내 할 도리는 한다면서 참고 살아온 나의 삶이 하나의 도구로 전락한 것이다. 화가 났다. '이런 것이었어' 하는 맘이다. 처음부터 생각조차도 하지 않은 것이 실수였을 지도 모른다. '걱정하지 말라.'고 이야기나 하지 않았으면 좋았을 터인데, 그 말을 믿은 것이 잘못이었다.

자기의 이익을 위해 투병 중인 나에 대한 인정은 없었다. 체력이 떨어져 힘들어하는 나에게 자신들의 권리만 주장한다. '나 몰라라' 하지 못해, 그들을 배려하고 이해하면서 나의 시간을 나누어 쓰다가 쓰러지고 응급실에 실려 갔다. 인간관계에 미련을 버렸어야 했는데, 버리지 못한 나의 잘못이다. 죽을병 걸린 나의 소식이 전해지자, 나의 죽음을 기다리는 사람들이 먼저 연락을 끊는 경우는 비일비재하였다. '정승 집 개가 죽으면 문상 가도, 정승이 죽으면 문상 안 간다'는 말이 이해되었다. 그런 사람들의 마음을 알면 알수록 생각이 다른 것을 알고, 이질감으로 관계가 서먹해졌다. 서울에 미련을 갖지 않도록 싹을 잘라준 사람들이었다. 그들의 기억에 내가 남아 있는 것이 싫어졌다. "나는 자연인이다."라는 방송 프로그램에 나오는 사람들이 왜 산에 들어가서 세상과 인연을 끊고 사는지 이해가 되었다.

인간은 자신의 쾌락과 즐거움을 본능적으로 추구한다. 다른 사람의 쾌락과 즐거움을 알 수가 없다. 오로지 자신만의 쾌락을 알 수가 있다. '같이'라고 하지만, 사실은 개인적 쾌락을 추구하는 것이다. 끝까지 잔인하고 부당한 마음을 숨기고, 자기들 방식으로 병든 나를 조정한다. 사랑이라고 믿어야 하지만, 그것을 알 방법은 없다. 끊임없이 발목을 잡고, 미혹한다.

서울을 떠난 생활이 길어지면서 운명으로 만난 사람들과의 관계에 오류가 있음을 알았다. 51살 백혈병이 걸리고 나서야, 사람이 뒤집어쓴 껍데기들을 벗겨 볼 수 있었다. 사람의 도리라 하였지만 틀린 말이었다. 자기들이 원하는 방식으로 길들여 살기를 원할 뿐이었다. 어른으로 조언한다고 하지만, 맞는 것보다는 틀린 경우가 더 많다. 본인들도 그렇게 살지 않았다. 내 자식이 나를 왜 버거워하는지 알아야 한다. 어른 역할을 다하는 것은 말과 행동이 일치하여야 한다.

인생처럼 불협화음으로 얽히고 섞여 상대의 약점을 파고드는 고약함도 없다. 고약함을 똑똑함으로 아는 사람들이 많다. 인간으로 산다는 것은 죽는 날까지 그렇게 사는 것인지 모른다. 투병 생활이 길어지면서 변해가는 나를 보았다. 놀랐지만, 전혀 예상하지 못한 것은 아니었다. 내가 경계해야 할 것은 네가 아니라, 나였다. 내가 쓴 껍데기를 벗었다. 노골적으로 살았다. 나에게는 '백혈병'이라는 핑계가 있었다. 시간이 지나면서 자연스럽게 나의 즐거움은 점점 늘어만 갔다. 제주에서 숲속을 걷고, 해안 길을 걸으면서 이렇게 사는 삶이 축복임을 알았다. 이기적인 삶이 좋은 것이었다. 젊었을 때부터 이렇게 살았으면 어땠을까 하는 생각이 든다.

38. 일상, 행복의 비밀이었다.

태어나고 싶어서 태어난 사람은 없다. 세상에 어느 날 던져진 존재이다. 그렇게 시작한 인생이다. 얼떨결에 시작한 인생이지만, 성공해보자고 분초를 다투며 살았다. 삶에 대한 고민이 없었다. 다들 그렇게 살기 때문에 그렇게 정신없이 살았다. 아름다운 인생으로 살기 위해서는 특별한 사람이 되어야 했다. 정신없이 사는 중에 질병이 발병하였고, 그 뒤로는 삶에 대한 이해가 완전히 달라졌다. 일상의 단조로운 행위들이 감동으로 다가왔다. 아침밥과 세수가 감동이었다. 배설할 수 있고, 옷의 단추를 여미는 것이, 걷는 것도, 누운 것도, 창밖을 보고, TV를 보고, 음악을 듣고, 사람을 보고, 떨어지는 빗물에 한숨 쉬고 그냥 모든 것이 행복으로 다가왔다. 일상을 특별한 것으로 채우고자 한 욕심이 사치였다는 것을 알았다. 특별한 사람이 되고자 하는 욕망이 사라졌다.

단순한 것이 행복이었다. 행복을 복잡하게 해석하고 찾아다닌 것이 문제였다. 비밀도 아닌데, 비밀처럼 행복은 숨어있었다. 무의식적으로 당연하듯이 살아왔던 순간들이 벼락 맞은 듯이 번쩍이며 신비한 영적 체험으로 다가왔다. 이성과 감성에 변화가 생기었다.

반드시 죽는다고 해서 죽기 위해 태어난 것이 아니라, 살기 위해 태어난 것이란 진부한 진리가 깨달음으로 온 것이다. 사춘기 시절에 개똥철학으로 고민했던 것들이 50살이 넘어서 정리가 되었다.

같은 병실에 있는 사람들끼리 아침이면 인사를 한다. 항암의 부작용이 사람마다 다르게 나타나기는 하지만, 하루가 다르게 변해가는 서로의 모습을 본다. 머리가 빠지고, 살이 빠지고, 음식을 먹지 못하고, 화장실이 버거운 서로의 상황을 말없이 눈치껏 안다. X-Ray 검사를 위해 입원 병동인 21층 무균실에서 4층으로 이동한다고 하여 체력이 바닥난 나는 침대에 실려 나왔다. 엘리베이터를 타고 이동하였다. 무균실 밖으로 나온 것이다. 갑자기 공기가 바뀌었다는 느낌이 훅 들어왔다. 산속의 공기와도 같은 맑은 공기라는 느낌을 받았다. 병원을 방문한 사람들은 침대에 실려 나온 내가 어떤 사람인가 하는 눈빛으로 흘끗 본다. 코미디 같지만, 그 사람들 사이에서 숨 쉬고 있다는 사실을 실감하면서 눈물이 나왔다. 그냥 사람들 사이에 숨 쉬고 있다는 것이 이 정도의 감동으로 밀려올지 몰랐다.

제주에서 2년 정도의 생활할 때이다. 3개월에 한 번씩 하는 골수검사와 병원 혈액검사 일정 외에는 서울을 올라가지 않았다. 그러다가 대학을 휴학하고 군대 입대하는 아들의 입영을 보기 위해 올라갔다. 서울에서 논산까지 같이 이동하였고, 부대 앞에서 헤어졌다. 멋쩍게 악수하고 부대 안으로 들어가는 아들의 뒷모습을 보는데 눈물이 나오기 시작하였다. 한번 나온 눈물은 멈추지 않았다. '내가 살아있어서 너의 뒷모습을 보고 있구나'라는 생각은 가슴 벅찬 감동으로 다가왔다. 너무나 당연해서 평소에 인식조차 하지 않았던 살아있다는 느낌이 눈물을 통곡으로 변하게 하였다.

　사회적 관계를 맺은 모든 이들에게 나의 책임과 의무를 다하면서 살아야만 하는 줄 알았다. 그런데 그런 감정 소비 없이 그냥 살아도 된다는 생각으로 정리되었다. 평범한 것이 가장 행복한 삶이다. 평생을 신념으로 담고 온 것이 꼭 정답이 아닐 수 있다. 이성적 변화이다. 사람이 행복의 기준으로 즐거움과 재미를 선택한다면, 부담스러운 강박적 관념은 최대한 벗어야 한다. 가장 단순한 삶이, 가장 재밌는 인생이다. 하고 싶으면 하고, 보고 싶으면 보고, 싫으면 하지 말고, 체면을 차리지 말고 사람으로 가지는 욕망을 추구하는 삶이 좋을 수도 있다. 의무적인 삶을 선택 하지 않아도, 사는데 아무런 문제가 없다. 지겹고, 고통스럽고, 벅차고, 힘들어하면서 사는 것은 살기 위해서 사는 것이 아니다. 행복을 위해 지켜야 할 가장 단순한 것은, 내가 즐거운 마음으로 살아 있어야 한다는 것이다.

39. 제주 생활, 단순해서 병이 치유된다.

삶은 버겁다. 삶의 고달픔은 쉬지 않고 온다. 하루하루가 버겁게 다가온다. 대부분 번뇌는 눈으로 보고, 귀로 듣는 것에서 시작한다. 사람을 만나면 계속 떠들어야만 한다. 마음에 없는 말을 하든, 마음에 있는 말을 하든, 스트레스이다. 아무도 나에게 관심 보이지 말고, 나도 아무에게도 관심을 주지 않고, 그렇게 있는 듯 없는 듯 살아보면 어떨까? 제주에서의 삶이 그런 삶이 되었다.

제주에서의 생활이 깊어질수록 번뇌가 사라진다. 지역의 특성상 사회적 관계 대부분이 단절되어 있다. 심리적으로 가까운 거리라 할 수 있지만, 물리적 거리가 우리나라에서 제일 먼 곳이다. 서울에서는 삶을 단순화하고자 하여도 할 수 없었고, 오히려 더 복잡해지는 생활이었다. 어떻게 되었든 누군가와 만나 점심을 먹고, 차를 마시고, 이야기를 나누는 것이다. 일 이야기가 나오고, 상대의 고민을 들어야 하고, 뭔가 그럴싸한 말을 해야 하고, 마음에 없는 이야기를 해야 한다. 제주에서는 이것이 없다.

사람을 만나지 않아서 하루가 단순해진다. 사람을 사귈 필요도 못 느낀다. 이런저런 이유로 명함을 주어도 예의상 받기만 한다. 시간이 지나면서 새롭게 연을 맺자며 다가온 사람들이 있어도 내가 먼저 연락하는 경우는 없다. 그들의 사업적 이득을 도모하기 위해 부동산에 대한 전문가적인 조언을 듣고자 찾아오는 것이다. 또는 나를 자기들 사업에 참여하게 꼬시는 것이다. 감언이설로 나를 만난다. 모른척한다. 그들에게 바라는 것이 없으므로 그들의 화려한 미사여구에 고개를 끄덕이며 맞장구로 응대해 준다. 나를 속였다고 그들은 생각할 것이다. 기대 자체가 없으므로 마음에 스트레스가 없다. 그리고 끝이다. 나의 연락을 기다리겠지만, 그런 것은 단 한 번도 없었다.

그들로부터 다시 연락이 온다. 또 만나준다. 제주에서는 찾아오는 사람들에게 명함을 계속 받았지만, 내가 아는 사람은 아무도 없다. 새롭게 사회적 관계를 만들지 않았다. 관계가 단순해지면서 삶이 쉬워진다. 시간이 지나면서 서울의 지인들도 연락이 줄어들고 있다. 그들은 그들 나름대로 제주에서 투병을 핑계로 은퇴한 나에게 마땅히 던질 말이 없을 것이다. 나 또한 그들의 연락 없음을 즐긴다.

"제주에서의 삶은 단순하다." 아침에 일어나면 밥 먹고, 숲이나 해안 길을 산책하고, 점심 먹고, 카페에서 커피 마시며 책을 읽거나 글을 쓴다. 집에 돌아와서 저녁 먹고 넷플릭스 보거나 책을 읽다가 잔다. 일주일에 한두 번 골프를 즐기고, 수영한다. 학기 중에 수업이 있으면 서울 갔다 온다. 매일 반복되는 하루의 삶이다. 일주일이 가고, 한 달이 간다. 생활의 수레바퀴에 변수가 없다. 서울에서는 수많은 변수로 돈과 시간, 에너지를 쏟아부었다. 그렇게 사는 것이 정답인 줄 알고 살았지만, 삶에 도움이 전혀 되지 않는 시간 낭비였다.

돈, 일, 인간관계, 사업, 가족, 명예, 성공, 야망에 나의 감정을 총동원하여 삶을 복잡하게 해석하면서 전반전 살았다. 밤새 고민하고 잠을 뒤척이면서 살았다. 일부러 복잡하게 산 것은 아니었다. 그냥 열심히 살았던 것 같은데, 질척이는 인생이었다. 병들었다. 복잡한 삶을 선택한 대가였다. 구차스럽게 변명은 필요 없다.

제주의 단순함이 병든 나를 치유하고 있다. 삶이 수월해진 것을 느끼고 있다. 나이를 등에 짊어진 삶의 무게라고 하는 자기 위로는 말장난이었다. 제주의 귀양살이가 길어질수록 삶의 무게는 가벼워지고 있다. 삶에 대한 버거운 미움이 사라지고 있다. 가벼워진 나는 어디든 쉽게 갈 수 있다. 준비할 것은 아무것도 없다. 시간만 가지고 가는 여행이다. 그래도 전반전보다 더 잘 살 자신이 있다.

40. 늙는다고 그러면, 멋지게 늙고 재미나게 살자

이변이 없는 한, 젊어서 죽지 않았다면 주름살 많은 늙은이가 무조건 된다. 늙어가는 것을 생각하면 숨이 탁 막히는 사람이 있다. 남자들보다 여자들이 그런 감정에 잘 빠지는 듯하다. 사람은 나이를 먹어가면서 늙음과 싸운다. 무슨 일이 있어도 늙어가지 않겠다는 어린아이 같은 치기를 보인다. 늙음을 젊음으로 버틸 수 있는 사람은 없다. 부질없는 짓이다. 그냥 받아들이는 것이 지혜이다. 건강을 회복하여 좀 더 산다면 남은 인생을 멋지게 늙어가고 싶다는 것이 욕심으로 다가왔다.

단, 1분도 쌓아둘 수 없고, 소비만 할 수 있는 것이 시간이다. 시간을 소비할 수 없게 되는 순간이 죽음이다. 따라서 주어진 시간을 낭비하고 싶지 않다. 나에게 남은 시간은 짧은 것이 아니라 믿고 싶다. 모르기 때문에 믿음으로 버틸 수 있다. 몇 년일지, 몇십 년일지 알 수 없는 나의 늙음을 준비하여야 하는 이유이다. 전반전을 자랑스럽게 살지 않았어도 관계없다. 목적은 단 하나이다. 멋지게 늙고 재미있게 살자는 것이다. 지금까지 잘 늙어가는 법을 배운 적이 없다. 100세 시대에 '너'나 '나'나 그냥 나이만 먹은 것이다.

무엇을 상상하든 절대 방심하는 순간에 추하게 늙어갈 것이다. 어쩌면 나의 질병은 후반전을 살아가면서 욕심을 가지면 안 된다는 자비로운 신의 경고였는지도 모른다. 신은 내가 감당할 수 있는 시험을 준 것이다(고린도전서 10:13). 단순한 질병이 아니었는지도 모른다. 신이 설계한 것이기를 바라는 것은 병에서 벗어난 것이 아닐까 하는 의지이다. 성급할 수도 있지만, 조심스럽게 그런 감정에 빠지면서 남은 내 인생을 준비한다.

'늙음'은 생물학적으로 세포의 노화로 인하여 소멸해 나가는 과정이다. 늙어가는 것은 젊은 날에 대한 보상을 받을 수 있는 시기이다. 과도한 음주와 흡연, 불규칙한 식사와 과도한 스트레스는 나처럼 질병으로 후반전을 힘들게 시작할 수 있는 것이다. 반대로 절제와 관리로 젊은 시절을 보낸 사람은 건강한 모습으로 나와 출발선이 다르게 시작할 것이다. 전반전도 출발선이 달랐는데, 후반전도 그렇게 자기만의 출발선이 있는 것이다. 전반전은 돈으로 출발선의 차이가 있었다면, 후반전은 삶에 대한 '이해'가 차이이다.

인생 후반전 모습이 어떻게 나타날지 모르지만, 멋지게 늙어갈 자신이 있다. 나의 삶과 죽음을 이해하는 기준이 만들어졌기 때문이다. 남은 인생에서 가장 중요하게 생각하는 가치는 살아오면서 쌓아놓은 기억에 영향을 받는다. 삶의 기억은 희미한 안개 속에 있는 것처럼 흐릿하다. 좋고 나쁨이 섞여 있다. 어떤 기억이 기준이 될지는 각자 추억에서 끄집어내야 한다. 시간에 대한 선 긋기 과정이다.

　많은 사람이 젊음과 늙음으로 선 긋기로 구분하여 남은 인생을 설계한다. 어떤 설계든 자아가 충실한 사람들만이 인생을 다르게 설계하고 재미있게 살아갈 수 있다. 대부분은 아무 생각 없이 살 것이다. 설계는 말장난으로 끝날 뿐이다. 두 발로 걸었다고 개가 사람이 되는 것은 아니다. 나에게 있어서 선 긋기의 기준은 백혈병 이다. 삶에 대한 이해를 나에게 준 개인적 사건이다. 기가 막히게 도 51살, 100세 시대에 후반전을 시작하는 생물학적 나이였다.

41. 재미있게 살려면, 뱁새로 살면 된다.

시간이 나이에 비례하여 점점 빨리 간다고 하지만, 하루하루가 고달픈 사람에게는 시간은 굼벵이처럼 가는 것이다. 정신은 멀쩡한데 질환으로 몸을 못 움직이는 사람들은 죽는 것보다 살아있음이 더 고통스러울 수도 있다. 60세도 되기 전에 요양원으로 가야 하는 사람이 있고, 반대로 90세까지 정력이 넘치는 사람도 있다. 신체적인 노화 속도가 사람마다 다르다. 경제적 차이도 있어, 늙은 몸을 이끌고 일해야 하는 사람들도 있다.

젊어서 죽거나, 죽지 않고 늙어가거나 둘 중의 하나이다. 늙어가는 시간은 질병이 아니다. 늙었다는 이유로 사회적 비난을 받을 일은 더욱 아니다. 왜 늙어가는지에 대해 변명하지 않아도 된다. 늙음은 오래 사는 사람만이 누리는 즐거움이다. 젊어서 죽었다면 절대 알 수 없다. 늙은 사람을 보고 편견을 가지는 사람이 많다. 편견은 잘못된 판단을 한다. 자신의 늙음을 자연스럽게 받아들여야 한다. 그렇지 않으면 서글픔으로 삶이 버겁기만 하다. 은퇴하고 늙어간다면 재미있게 살아야 한다. 그렇게 늙어가는 노인들이 많다. 이들은 전반전에 쌓아놓았던 지갑을 여는 것에 주저함이 없다. 덧

없이 흘러간 시절을 안타까워하지도 않는다. 지금을 즐길 뿐이다.

매일 아침 20여 명이 이른 아침 골프장에서 모인다. 첫 tee-off 로 게임을 즐긴다. 나이는 평균 75세 전후이다. 모임의 막내는 68세였다. 정년퇴직하고 내려와서 인생 후반전을 사는 사람들이다. 제주 생활을 시작할 무렵에 이들의 모임에 초대받았다. 라운딩이 끝나고 점심을 서귀포 맛집에서 해결하고 바닷가 이쁜 카페에서 커피 마시고 헤어진다. 다음날 새벽에 또 골프장에서 만난다. 이들의 자녀들은 대부분 서울에 있다. 20년, 또는 30년 가까이 후반전 인생을 제주를 거점으로 하여 국내외 여행을 다닌다. 다양한 취미 활동으로 시간을 보내는 이들을 보면서 저렇게 늙어가고 싶었다. 멋진 늙은이로 나에게 다가왔다. 나이 듦이 부러웠다. 어릴 적 친구들과 저렇게 늙어갈 수 있다면 정말 재미있는 인생이겠다 싶다.

대학 졸업하고 30년 이상을 보내야만 정년퇴직의 나이가 된다. 돌아보면 엊그제와 같은 짧은 시간이지만, 수많은 우여곡절을 겪으면서 살았다. 울고 웃고 했던 30년은 짧다고 느껴지지 않는다. 은퇴하고 죽는 날까지도 마찬가지이다. 그런 시간이 또 남아 있는 것이다. 후반전 인생, 은퇴 설계를 잘해야 하는 이유이다. 후반전 시작점에 서 있는 사람들은 경제적, 신체적 차이가 같지 않다. 어떻게 인생을 살아왔든 그 차이가 가장 큰 정점에서 은퇴하는 것이다. 돈이 있는 자와 없는 자, 연금이 많은 자와 부족한 자, 체력이 있는 자와 없는 자, 가족들과 사는 자와 혼자 사는 자, 늙은 부모가 있는 자와 없는 자, 자녀들이 있는 자와 없는 자, 기타 등등 처한 환경이 다르다.

다르다는 것을 인정하여야 한다. 생각보다 다름이 클 수도 있다. 어쩔 수 없다. 뱁새가 황새를 쫓아가면 가랑이 찢어진다. 작아도 뱁새는 알 놓고 알콩달콩 잘 산다. 인정할 것은 인정하고, 각자 재미있게 살아갈 방법을 찾으면 된다. 재미있게 살고자 하면 세상의 기준인 돈으로만 세상을 보는 것은 바보이다. 가랑이 찢어지는 것이다. 뱁새는 뱁새로 살면 된다. 뱁새가 황새처럼 살 필요는 없다.

42. 아파, 늙어서 그런 걸 어쩌라고

애들은 기저귀를 다 찬다. 늙으면 노인들도 다 찬다. 창피하다고 하지 말자. 그때가 되어도 멋지게 늙어가면 된다. 신체가 건강하지 않다고, 건강에 대한 잡념으로 인생 후반전을 투덜거리면서 살지 말자. 망가지고, 고장 난 육체를 가지고 사는 것이 인생 후반전임을 인정하고 살아야 한다. 인정하기 싫으면 죽으면 된다. 어떻게든 더 살아보고자 하면서 추하게 구시렁거리지 말자. 아픈 내 인생이 불행하다고 생각하여 죽음을 선택하지는 않는다. 옆에 있는 사람이 꼴불견으로 보고 있다. 늙으면 어딘가 고장이 나고, 질병이 하나둘 생긴다. 거동할 수 있을 때까지 움직이다가, 못 움직일 때가 되면 스스로 요양원에 찾아가야 한다. 중국, 한국, 일본에서 구전으로 내려오는 설화로 늙고 병든 노인을 산에 버렸다는 고려장이 오늘날에 요양원과 요양병원이다. 병든 늙은이를 자식이라는 이유만으로 간호하는 것은 결코 쉬운 일이 아니다. 자식이 힘들어하는 것을 모른척하면서 뻔뻔하게 늙어가지 말자.

늙으면 육체와 정신은 완벽할 수 없다. 가장 무서운 병은 정신은 멀쩡한데 육체가 망가진 것이다. 식물인간처럼 누워있으면서,

눈만 말똥말똥 정신이 온전한 것이다. 육체는 멀쩡한데, 정신이 망가졌을 때도 무서운 것이다. 어느 쪽이 더 무서울 것인가 생각하여 보면 전자가 더 무섭다. 늙어가면서 생길 수 있는 최악의 상황으로 보인다. 둘이 같이 망가졌다는 것은, 죽을 때가 바로 눈앞까지 온 것이다. 의미 없는 연명치료다. 정신이 없으면 죽어가는 것도 모르므로 다행인지도 모른다.

여기저기 아프다고 불행한 것 아니다. 그 전에 죽는 것이 불행한 것이다. 이런 상태에 빠질 수 있다는 것을 이해하고, 받아들여야 노후의 삶을 바라볼 여유가 생기는 것이다. 예전 같았으면 죽었을 사람이 의료기술의 발달로 죽지 않고, 지금 살아서 늙어가는 것이 축복이다. 건강한 노인만 축복받는 것이 아니다. 백혈병 걸린 내 상황이 그런 것이다. 의료기술이 발전하지 않았다면 이미 죽었을 몸이다. 살아있음이 축복이다. 지금처럼 사람들이 오래 살았던 시절이 없다. 초고령화 사회가 인류에게 축복인지 재앙인지 아직은 모른다. 인류가 맞이하는 첫 시대이기 때문에 우리가 살아가면서 평가해 봐야 한다.

내 아버지는 32살에 뇌종양으로 돌아가시었다. 당시의 의료기술로는 한계에 부딪힌 것이다. 아버지에 대한 기억은 없다. 유전자의 탓인지 모르지만 나는 51살에 백혈병이 발병하였다. 아버지를 기준으로 하면, 지금 나는 살 만큼 산 노인이다. 내 딸과 아들은 나보다 더 오래 살 것이다. 그렇다면 뭐 억울하지 않아도 된다. 지금 내가 살아 있어, 나이 먹어가는 딸과 아들을 볼 수 있다는 것은 가슴 벅찬 일이다. 내 아버지는 5살의 나만 보고 죽었다.

고령화 시대로 접어들면서 100세 시대라고 하지만, 앞으로 의료 기술의 발달로 인간 수명은 더 늘어나서 120세까지는 무난하게 살 것처럼 보인다. "사람이 땅 위에 번성하기 시작할 때, 그들의 날은 백이십 년이 되리라 하시니 <창세기 6:3>" 늙지도 않고 죽지도 않는 것은 신밖에 없다. 죽지 않고 영원히 혼자서 산다는 것은 좋지 않다. 같이 늙어갈 사람이 하나도 없다면 그것도 힘든 것이다. 그렇게 생각하면 가장 심심하고 외로운 존재는 신이다. 신이 불쌍해진다.

우리는 질병에 걸려 죽고, 노환으로 죽는다. 많은 사람이 자다가 집에서 죽고 싶다고 하지만, 자다가 집에서 죽는 그런 경우는 10%도 되지 않는다. 대부분 병원에서 연명 치료하다가 고통스럽게 죽는다. 그때까지는 하루하루 멋지게 늙어가야 한다. 늙어간다고 하여, 오지 않은 죽음을 겁낼 필요가 없다. 지금이 중요한 것이다. 하나둘 고장 난 것이 점점 많아지는 것은 슬픔이 아니다. 그냥 늙어가는 과정이다. 내가 늙었다고 불평하는 이 순간에 어디선가 사고로 또는 온갖 질병으로 남녀노소 가리지 않고 죽어가고 있다. 그들 중에는 나보다 젊은 사람들이 대부분이다. 지금 내가 늙어가고, 인생 후반전을 살 수 있다는 것은 축복이다. 걱정으로 시간 보내지 말고, 어떻게 멋지게 늙어갈 것인지 그림을 그려야 한다.

43. Anti-Aging, 사랑에 문제없다.

Anti-Aging은 자연의 섭리를 부정하는 것이다. 나이 듦을 거부할 수는 없다. 오래전부터 동서고금을 막론하고 Anti-Aging에 깊이 관여한 사람들은 대중들의 허영심을 이용하여 돈을 버는 사람들이다. 장사꾼들이다. 시간을 벌어줄 방법을 찾는 것이 아니라면 그 어떤 짓도 헛짓이다. 교묘하게 과학의 탈을 쓴 사기일 뿐이다. 돈 몇 푼 벌자고 사람을 상대로 독을 파는 짓이다. 젊었을 때의 정력과 미모를 유지할 수 있다는 것은 말장난이다. 이와 관련된 산업은 동서고금 있었지만, 늙지 않은 사람을 본 적이 없다. 돈을 개처럼 벌어야 한다고 하지만, 거침없이 돈을 버는 이들의 모습은 사기일 뿐이다. 노화를 방지하고자 하면, 식습관을 조절하는 것이 더 효과적인 Anti-Aging 방법일 것이다. 노인들에게 나타나는 신체적 문제는 대부분 많이 먹어서 생긴 것이다.

옛날 사람, 노인네, 퇴물, 꼰대 등 늙음을 비하하거나 얕잡아 보는 말을 쉽게 한다. 젊음은 좋은 것이고, 늙음은 나쁜 것이라는 이해할 수 없는 정서가 우리 사이에 퍼져있다. 편견을 우리가 가지고 있다. 많은 사람이 이에 편승하고 있다. 주름살 제거에 온 정성을 다한다. 늙어가는 것을 스스로 아름답지 않다고 생각하는 것이다. 그런 감정에서 떠나야 한다. 필요 이상으로 반응할 필요가 없다. 주름살이 많아 쭈글쭈글해졌다고 인생을 실패한 것이 아니다. 신의 형벌도 아니다. 부끄러운 것도 숨겨야 하는 것도 아니다. 그냥 나이를 먹었을 뿐이다.

늙어가는 속도는 사람에 따라 다르게 나타날 수 있다. 늙어가는 육체는 어쩔 수가 없는 것이라면, Anti-Aging의 핵심은 마음에 있어야 한다. 나이 듦의 가장 큰 매력은 삶에 대한 지혜와 시간에 대한 여유이다. 행복했던 추억을 하나하나 끄집어내어 그렇게 인연으로 만난 사람들에게 사랑을 주고 고마워하면 된다. 남은 시간을 새로운 추억 만들면서 감사하는 마음으로 보내면 된다. 멋지게 늙어가는 모습이다. 몸뚱어리는 주름살이 많아져도 마음은 늙지 않을 수 있다. 때로는 철이 없다 할 수도 있지만, 늙었기에 여유로 다가갈 수 있는 것이다.

4년 전에 위암으로 제주에 내려와 투병 생활을 하는 분이다. "건강이 회복된다고 한다면, 다시 20대처럼 뜨거운 사랑을 하고 싶다. 그런 사랑을 나눌 수 있는 여인이 있다면 전 재산을 주어도 아깝지 않을 것이다."라고 말을 하여 깜짝 놀랐던 적이 있었다. 나이 60대 중반에 암으로 투병 생활을 하고 있지만, 20대 청춘처럼 뜨거운 사랑을 죽기 전에 꼭 한번 하고 싶은 욕심은 늙은 것이 아니었다.

‘파우스트’ ‘젊은 베르테르의 슬픔’을 집필한 괴테는 72살이 되었을 때, 55살의 연하인 17살의 울리케를 만나 사랑에 빠진다. 스스로 늙었음을 알고 괴로워하였지만, 2년 뒤에 청혼한다. 결혼은 이루어지지 않았지만 괴테는 이렇게 고백한다. “여기에서 나는 사랑하고, 그리하여 사랑받으면서 행복했다” 나이를 떠나서 괴테는 인생에 만난 수많은 여인과 사랑을 꿈꾸며 살았다. 세상 사람들은 괴테를 바람둥이라 하였지만, 괴테는 자기 인생을 사랑한 사람이었다.

44. 페르소나, 가면을 벗고 살자.

　배우가 연기하는 역할을 나타내는 가면을 뜻하는 말이 페르소나이다. 최근에는 상황에 따라 특정 행동이나 태도를 뜻하는 말로 타인이 보는 나의 모습을 의미한다. 진짜 나는 없는 것이다. 다른 사람에게 보이는 나를 중요하게 생각하는 것이다. 허상을 보여주는 것이다. 나와 관계한 모든 이들도 나처럼 페르소나 모습에 둘러싸여 있다. 가짜를 드러내면서 진짜처럼 포장한 인생이다. 자랑하고, 뽐내고, 다들 전생에 나라를 구한 사람처럼 산다. 가짜 삶을 보면서 멋진 삶이라 생각한다. 겉보기에는 완벽하지만, 부질없는 자랑질이다. 무의식적으로 가짜를 사랑하고, 존경하고, 우상화하며 살고 있다.

　가진 것이 부족하게 느껴지는 것은, 그 안에 내가 없어서이다. 하나뿐인 나를 남과 비교하는 것은 스스로 가시 면류관을 쓰는 것이다. 중요한 사람으로 인정받은 것은 내가 나에게 부여하면 된다. 한번 사는 인생, 남의 인생 살지 말고 자기 인생 살아야 한다. 가짜의 탈을 벗어야 한다. 남의 시선을 의식하지 말아야 한다. 있는 척, 가진 척, 행복한 척, 잘난 척하는 각종 가면의 틀을 벗어 버려야 한다. 원망을 들어도 괜찮다. 남들의 시선을 의식한 염려는 살아가면서 도움이 되지 않는다. 지금까지 다들 그렇게 살았다.

이제는 자기에게 솔직해야 한다. 시간이 별로 없다. 버킷리스트를 만드는 이유이다. 거짓된 모습으로 사는 것은, 바로 밀려오는 삶에 대한 기만으로 허탈함이 대부분이었다. 같잖은 이유로 명분을 만들어 어쩔 수 없이 쓰고 있었던 가면을 벗어야 하는 이유이다. 툭툭 털어서 버리면 된다. 너무 늦은 것도, 빠른 것도 없다. 가면을 벗어보지 못하고 죽는다면 정말 슬픈 일이다. 이제 늙어가고 있다면 빈틈을 보이며 살아도 된다. 그것이 늙음의 여유이다. 내가 나를 존경하면서 살면 된다.

'없으면 없다.' '있으면 있다.' '못하면 못한다.' '싫으면 싫다.' '좋으면 좋다.' 말하고 살면 된다. 내가 틀렸다고 당황하지 말고 그냥 틀렸음을 인정하고 살면 된다. 척하지 않아도 되니 말을 많이 하지 않아도 된다. 한 살 먹을 때마다, 내 인생을 마지막으로 사는 것처럼 살아야 한다.

멋진 늙은이가 되어가는 것은 변명보다는 침묵이 많아야 한다. 입 다물고 있으면, 사람들은 그런 나를 겸손한 사람으로 볼 수도 있다. 웬만하면 그렇게 된다. 삶이 더 생동감 있게 다가올 것이고, 즐겁게 될 것이다. 난 가면을 쓴 그들을 보고 있을 뿐이다. 말 없는 나를 무식하다고 다른 사람이 판단해도 괜찮다. 내 삶의 모습을 상대가 받아들이지 못하면 그들이 멍청해서 그런 것이다. 신경 쓰지 말고 살자. 가면을 벗고 멋지게 늙어가는 나를 볼 수 있다.

45. 늙음, 익어가는 것이 아니라 죽어가는 것이다.

인생에서 가장 확실한 것은 '내가 죽는다.'이다. 노사연의 바램이란 노랫말에 "우린 늙어가는 것이 아니라, 조금씩 익어가는 것입니다."라는 노래 가사가 있다. 이 노래를 따라 부르면서 우리는 살아온 세월에 대한 위로를 받는다. 그런데 위로가 잘 못 된 것일 수 있다. 익어가는 사람도 있지만, 덜 익은 상태로 젊을 때 버릇 못 버리고 개차반처럼 살아가는 사람이 있다고 생각하면 이 가사는 맞는 말이 아니다. 전반전 인생이 완성되어, 후반 인생을 익어가는 삶으로 사는 사람이 생각보다 많지 않다.

"우린 늙어가는 것이 아니라, 조금씩 죽어가는 것입니다." 이것이 맞는 말이다. 늙어가는 것은 이러한 감정을 매일 느끼는 사람들이다. 생각하기 싫어도 죽어가는 것을 아침에 생각하고 하루를 시작하면서 사는 것이 좋다. 중요하다고 생각한 것이 사라지고, 중요하지 않다고 생각한 것이 중요하게 올 수 있다. 노인들을 대상으로 하는 사기들이 점점 늘어나고 있다. 이러한 사기 형태는 노인들의 욕망을 자극한다. 젊었다면 절대 선택하지 않았을 그런 무모하고 비합리적인 선택을 한다. 얼마 남지 않은 인생에 '뭔들 못하리, 아끼면 뭐 하나, 시간이 없다.'고 생각한다. 고령화 사회가 되면서 새롭게 나타난 사기 행각들이다. 나이 든 사람들의 지갑을 열게 하는 것이다.

이들은 은퇴 전문가, 건강 전문가를 앞장세워 접근한다. 그들에 대한 신뢰를 형성한다. 전문가는 자신의 분야에 대해서는 일반인보다 많은 것을 알고 있다 할 수 있지만, 인생을 살아가는 '삶'의 어디에 행복이 있는 것인지는 알 수가 없을 것이다. 전문가에 대한 신뢰는 내가 생각하고 행동하는 방식을 결정할 수 있다. 하지만 대부분은 거짓된 사람들을 만나고 그들을 믿는다. 그들이 보여준 신뢰는 거짓이다. 잘못된 만남은 신체적 정신적 경제적 위험에 오랜 시간 노출되고, 어떤 경우는 최악의 인생이 되어 죽는 날까지 힘들게 살 수 있다. 늙었어도 성숙하지 않은 늙은이다. 덜 익은 상태로 늙은 것이다. 누군가의 호구로 사는 후반전 인생이다.

"버림받은 노인" "황혼이혼은 선택" "고집불통 노인" "100세 시대 건강식품" "가족들에 외면당한 노인" "병들어도 간호하지 않는 자식" "돈 없다고 무시하는 자식" "부모 재산에만 탐내는 자식" "폭력적인 늙은 아버지" "무자식 상팔자" "나이 들수록 믿을 것은 돈." "죽기 전, 명의 이전 금지"와 같은 잘못된 신념이 만들어지고, 방송에서도 이를 이용하여 시청률을 높이기 위한 자극적인 드라마를 연출한다. 사람을 자극하여 분별력을 떨어지게 한다. 그릇된 신념이 생기게 만든다. 인생을 뒤돌아보면, 신념은 현실과 아무런 관계가 없는 경우가 더 많다. 인위적이고 선동된 신념은 거짓일 가능성이 크다는 것을 알아야 한다. 여기에 선동되는 덜 익은 어른들이 의외로 많다. 드라마의 자극적인 이야기로 은퇴 설계하고 늙어가는 것이다.

어린아이가 어른이 되기까지 의지하는 것은 부모이다. 늙어서 늙은이가 되었다면 이제는 반대로 죽는 날까지 자식을 의지하고 살아야 한다. 그 어떤 사람도 내 부모를 대신할 수 없고, 내 자식을 대신할 수 없는 것이다. 믿고자 한다면 자식을 믿어야 한다. 순리대로 익어가는 삶은 자식을 믿고 살아가는 것이다. 100세 시대에는 자식하고 같이 늙어가는 시대이다. 자식도 늙었고, 나도 늙었다. 늙은 자식의 불효를 한탄하지 말고, 괴팍하고 추악하고, 고집불통의 덜 익은 자기를 탓해야 한다. 자식에게 철없는 부모로 살아가는 것을 미안하게 생각해야 한다. 내 부모는 내가 늙기 전에 죽었고, 내 자식은 나와 같이 늙어가는 것이다. 누가 누구에게 미안해야 하는지 알아야 한다. 모르고 늙어가면 그렇게 덜 익은 채로 살수 밖에 없다.

46. 끝내기 인생, 성공에 집착하지 말자.

사람이 죽으면 하늘의 별이 된다고 한다. 늙었으면 언제 죽을지 모른다. 얼마 남지 않은 인생이 힘들어지는 것은, 같이 늙어가면서 이야기를 나눌 사람이 점점 줄어들기 때문이다. 사람은 죽기 전에 세상에 흔적을 남기고 싶은 욕심이 있다. 죽음이 가까워지는 시간이 될수록 이러한 욕심이 생긴다. 그래서 죽으면 하늘의 별이 된다고 하는 것이다. 누군가 자신이 살았었다는 것을 봐주었으면 하는 것이다.

욕심을 갖고 좇아가면 헛발질하는 경우가 많다. 손에 쥐어보고자 하면 할수록 쥘 수가 없다. 한발 따라가면 두 발 도망간다. 세상의 흔적을 남기는 것이 그렇다. 세상에 흔적을 남기는 것을 성공이라 한다. 출세한 것이다. 머슴에서 왕으로 사는 인생이 된 것이다. 그렇게 성공 했어도 의외의 경우가 많다. 사회적으로 인정받는 사람이 되었는데 강박증과 우울증으로 정신치료를 받는다. 성공을 자책하는 것이다. 성공한 그들이 행복하지 않은 것이다. 어떤 논리로도 설명을 할 수 없는 인생의 한 모습이다. 행복은 욕심으로 채워지는 것이 아니다. 성공은 천부적인 재능이 있는 사람들만의 것이 아니다. 학력이 좋고, 배경이 좋고, 능력이 출중해도 실패하는 사람들 많다. 내세울 것이 아무것 없는 사람이 성공하는 모습을 오히려 더 자주 보고 살았다. 그래서 나도 할 줄 알았는데, 아니었다.

이제 후반전이 시작되었다면 흔적을 남기고자 기를 쓰고 노력하는 대신에 그냥 있는 그대로의 모습으로 살아도 된다. 꼭 별이 되어야 하는 이유를 찾아서 힘들게 살지 않아도 된다. 갓난아이가 손을 움켜쥐는 것은 자신의 운명을 쥔 것이라 한다. 타고난 운명을 손에 꼭 쥐고 있다는 것이다. 성장하면서 손이 펴지는 것이다. 후반전 인생을 살아갈 나이가 되어 늙어간다면 손에 쥐고 있는 운명은 거의 없다고 할 수 있다. 운명대로 살아 온 것이다.

인생 후반전이라 살아온 날보다 살아갈 날이 적다는 것을 알아야 한다. 더군다나 언제 어떻게 될지 모르는 것이 인생이다. 전반전에 별이 되지 못하였어도, 더 가치 있는 것은 내가 지금 살아있다는 것이다. 후반전을 시작해보지도 못하고 삶이 끝난 사람도 많다. 후반전은 끝내기 인생이다. 바둑의 끝내기에는 순서가 중요하다. 순서가 잘못되면 다 이겨놓은 바둑 질 수도 있다. 인생 후반전도 마찬가지이다. 은퇴 설계, 어떻게 순서를 밟아 갈 것인지 고민해야 한다. 전반전 잘 살고, 후반전 못사는 것보다, 전반전 못살고 후반전 잘 사는 것이 더 복된 삶이다.

전반전을 살면서 불행은 늘 있었다. 뱀이 이브를 유혹하였듯이 내 맘에 깊이 파고들었다. 불행이란 단어가 도둑처럼 다가왔다. 단지 행복하게 살고자 하였는데, 더 고통스러운 경우도 많았다. 그렇게 살면서 늙은 것이다. 후반전도 비슷하게 살 수 있다. 그렇다고 부정적일 필요는 없다. 먹고 사는 문제로 죽을 때까지 일하는 사람들이 있다. 돈 버는 일을 그만하고, 인생 후반전을 시작할 수 있다면 그 자체로 엄청난 성공을 이룬 것이다. 분명한 것은 조만간 세상을 그만둘 확률이 점점 높아지고 있다는 것이다. 예상했던 것보다 시간이 그리 많지 않을 수도 있다.

행복이란 단어를 찾으려 시간 낭비하지 말고, '행복해야 된다'는 강박에서도 자유로운 사람이 되자. 지금까지 살지 못한 인생을 이제부터 살아보자. 행복은 단순하다. 살아있다는 그 자체로 이미 가장 큰 행복을 가진 것이다.

47. 은퇴 설계, 거짓말이다.

"은퇴계획을 세우고 은퇴해라", "은퇴하고 할 일을 준비하라" "사회적 관계를 유지하라" "도시에 살아야 한다." "배우자와 대화를 많이 하라" "어디서, 누구와 늙어 갈 것인지 정해라" "생활비는 마련하라" 등등 후반전 삶을 살기 위한 은퇴 설계에 참고할 만한 조언들이 마치 진리처럼 퍼져있다. 은퇴가 무엇인지 모르고 떠드는 사람들 이야기다. 들으나 마나 한 유언비어이다.

"착하게 살아라" "열심히 살아라" "정직하게 살아라" "신의를 지켜라" "책임감 있게 살아라" "정의롭게 살아라" "최선을 다해라" 등등 전반전 삶을 살면서 수없이 들었던 조언들이다. 그렇게 살지 않은 사람들이 떠든 헛소리였다. 그렇게 사는 사람을 지금까지 보지 못했다. 책에 있는 선한 말일 뿐이다.

피가 되고 살이 된다는 은퇴 설계에 대한 조언들은 대부분 말장난이다. "은퇴하고 전원생활 하고 싶다." "은퇴하고 놀고 싶다."라고 한다면 30년 전원생활을 하는 것이고, 30년을 놀아야 한다. 벌써 막막하다. 은퇴계획에는 생각할 수 없는 많은 변수를 통제하고 실질적으로 가능한 것으로 설계해야 한다. "은퇴계획"을 세운다고 하지만, 대부분 정년퇴직하면 '뭐 해 먹고 살지'와 같은 직업에 대한 계획이 대부분이다. 그것을 은퇴 설계라 할 수는 없다.

은퇴하고 30년을 어떻게 살 것인지 직장을 다니면서 계획할 수 있는 것이 아니다. 은퇴 설계를 하고 은퇴하는 사람도 있겠지마는 주위를 둘러보면 극소수이다. 그 극소수도 대부분 Job change이다. 공기업이나 대기업의 일부 임직원에 해당하는 것이다. 90%의 직장인들에게는 그럴 시간이 없다. 결국 우리가 이야기하는 은퇴 설계의 대부분은 직업 교육이다. 죽을 때까지 일하라는 것이다. 일자리 찾는 것이, 무슨 은퇴 설계인가? 잘못된 것이다.

은퇴를 왜 하는 것인지? 삶의 관점에서 이해하고 받아들여야만 한다. 은퇴 설계하기 전에 '사람은 왜 사는 것인가?'에 대한 본질적 질문에 스스로 답을 내려야 하는 것이, 첫 번째 조건이다. 인생 후반전은 살아온 젊음이 과거에 있었기에 가능한 것이다. 젊음에서는 미래가 영원할 것이라는 믿음으로 살았다. 젊었기에 시간이 많다고 생각한다. 그래서 시간으로 말하지 않고, 돈으로 말하면서 인생을 살아왔다. 늙음에는 남아 있는 시간이 짧다. 그것도 언제 끝날지 모르는 것이다. 미래의 끝은 죽음이다. 그래서 돈보다는 시간을 아까워하면서 사는 것이다. 살아있다는 느낌은 죽기 전, 그때까지이다.

부부관계는 좋지만, 형제의 관계는 안 좋을 수 있다. 부모와 자식 관계는 좋지만, 부부관계가 안 좋을 수도 있다. 모든 인간관계가 다 좋을 수도, 다 나쁠 수 없다. 밖으로 드러난 것도 있고, 숨겨져 있는 것도 있다. 아무리 지혜로운 사람이라 하여도 나의 존재에 대해 잘 안다고 할 수 없고, 내가 나를 잘 안다고도 할 수 없다. 우리가 살아가는 모습은 개인마다 각자의 이유로 살아가는 것이다. 내가 보는 관점은 나만의 것이다. 내가 옳다고 한 것은 나한테만 적용되는 것이다. 보편적이지 않다. 인생 설계하면서 인간관계의 중요성을 이야기하지만, 좋은 않은 인간관계는 인생 후반전에 최악이 될 수도 있다. 혼자라고 나쁜 것이 아니다.

지금까지 취미가 뭔지 모르고 살아온 사람에게 100세 시대의 맞는 인생 취미가 있어야 한다고 하면 당황스러운 것이다. 놀아보지 않은 사람이 갑자기 잘 놀 수는 없다. 늙을수록 입을 닫으라는 말은 평생 버릇을 하루아침에 고칠 수 있다는 헛소리이다. 돈의 지출에 자유로움이 있어야 지갑을 열 수 있다. 병원이 멀었으면 죽었을 노인이 병원이 가까워서 식물인간으로 살아있는 것은 행복이 아니라 고통의 시작일 뿐이다. 은퇴 후의 삶에 대해서 '잘 살려면' 어떤 규칙이 있는 듯이 이야기한다. 우리가 아는 은퇴 후의 삶에 대한 이런 규칙들은 대부분 말장난이다. 그렇게 살아서 행복할 수도 있지만, 반대로 불행할 수도 있는 것이다. 모든 사람에게 해당하는 말처럼 일반화하는 오류로 사람을 미혹하는 것이다. 내 시간을 어떻게 쓸 것인지는 내가 판단하는 것이다. 인생 설계의 규칙이 있다면 딱 하나이다. "한번 살다가는 인생 재미있게 살다 죽자"이다. 남녀노소 구분 없이, 인생을 사는 누구에게나 적용되는 규칙이다.

48. 누구도, 그렇게 살라고 하지 않았다.

남녀를 떠나 사람이 죽는 순간에 자기 삶을 뒤돌아보면, 무슨 생각을 하면서 죽어갈까? 죽은 사람하고 말을 섞어 본 적이 없어 알 수 없지만, 있다면 회한이 있을 수 있다. 아니 잘은 모르지만, 그런 감정이 있을 것으로 생각해 보고, 만약에 있다면 가장 큰 회한은 아마도 '내가 잘 못 살았어!'와 같은 느낌일 것이다. 죽을 때가 돼서 자기 인생을 뒤돌아보니 아쉬움이 큰 것이다. 인간다운 삶을 살지 못하였다는 것이다. 인간으로서 가지는 자연적인 욕망과 희망을 도덕적 관습과 사회적 규범에 옭아매 살지 못한 것에 대한 후회이다. 한번 사는 인생이었는데 아쉬움이 큰 것이다.

부부가 있다. '남자가 죽어가면서 여자에게 듣고 싶은 말은 '당신을 존경합니다.' 여자가 죽어가면서 남자에게 듣고 싶은 말은 '당신을 사랑합니다.'' 라고 한다. 이런 말이 어디에서 나온 것인지 모르지만 삶의 과정에 있어 기본적 가치에 대한 남녀차이를 보여주는 듯하다. 평소에도 남자는 자신을 존경하는 여자에게 끌리고, 여자는 사랑을 주는 남자에게 끌린다. 부부싸움의 원인 중의 하나이다. 스스로 어떤지 생각해 보면 쉽지 않은 것이다. 존경받을 짓을 하지 않은 것도 문제이지만, 존경할 마음도 없는 것이다. 반대의 경우도 마찬가지이다.

흠 없는 인간은 없다. 가끔 부끄러운 일도 한다. 어떻게든 죽으라고 고생하여 무언가를 이루어, 성공했다는 사람들이 있다. 세상이 불공정하고 불공평하다고 하지만, 그들은 극복한 것이다. 돈은 사람들이 의사결정을 손쉽게 하는 가장 강력한 추진 동기이다. 열심히 사는 것은 중요하지 않다. 다들 자기 인생을 악착같이 살지만, 무언가를 이루어 돈을 번 사람은 극소수이다. 대부분 열심히 살지만 실패할 뿐이다. 쉬운 일이 아니다. 내가 멋진 삶을 산다고 사람들에게 보여주고 싶지만 늘 뒤처진 인생이다. 존경과 사랑은 물 건너간 것이다. 밀려오는 허탈감이 늘 가득할 뿐이다.

회한은 자신의 삶을 스스로 주인으로 살지 못하였음에 대한 고백이다. 성공했어도 지루함이 가득한 삶인 것이다. 좋아하는 일, 즐거운 일을 하면서 재미나게 산 것이 아니다. 자신의 욕망과 희망을 억누르고 살아온 것이다. 그렇게 살면 어떻게 되는 줄 알고 큰일이라도 날 듯이 산 것이다. 그런 것이다. 대부분 현대인은 참고 견디며 살아가는 인생을 선택한다. 따분하고 지루한 인생이지만 익숙한 것에 몸을 맡기고 변화와 도전을 멀리한다. 그것이 무난하다고 서로서로 위로하면서 '잘 산 인생'이라고 격려하며 묵인하고 인정해주는 삶이다. 겉으로 보면 그럴 수 있다. 괜찮은 인간으로 산 것처럼 보인다. 그렇게 전반전을 살아온 인생에 술잔을 보내며 '수고했다' 위로한다.

남은 인생도 그렇게 살기에는 인생이 너무 짧다. 내 인생에 두 번이 없는 것이다. 비겁하게 도망가면 아무것도 못 한다. 정말 슬픈 인생은 또 도망가면서 스스로 '잘 산 인생'이라 위로하는 것이다.

겁먹지도 말고, 떨지도 말자. 이제 젊었을 때부터 가슴에 품었던 그것을 해 볼 수 있는 마지막이자, 첫 기회이다. 마음에 없던 것을 지키기 위해 쏟아부은 에너지에 지쳐버린 인생이 전반전이었다. 후반전도 그렇게 살면 죽는 순간에 회한의 눈물로 가득한 아쉬움으로 '이게 아니었어!' 고백할 것이다. 살아오면서 집중하였던 것들은 사실 그렇게 중요한 것이 아니었음을 이미 알고 있다. 다들 쉬쉬하고 숨기면서 말을 하지 않았을 뿐이다.

시간이 마냥 기다려 주지 않는다. 갈 것인지 그만둘 것인지는 나의 선택이다. 내가 죽기 전에 원하는 것이 무엇인지 결정하고, 그것을 향해 걸을 수 있는 의지는 나에게 있는 것이다. 가야 할 이유는 하나지만, 내가 가지 못하는 이유는 수백 가지 만들어 낼 수 있다. 찰나의 시간만 나에게 주어진 것이다. 내가 '잘못 살았다.'라고 고백한다면 그것의 진짜 이유는 '내가 하지 않은 것' 때문이다. 가지 못하도록 내 발목을 잡는 것은 나다.

49. 관계, 공들이지 말자

인적 네트워크가 사회적 성공의 기본이다. 그러한 생각으로 사람들을 만나면서 살아왔다. 인간관계는 내가 만드는 것이다. 시간을 함께 나눌수록 좋은 것으로 생각하였다. 아낌이 없었다. 나이가 들면 조직에서는 위로 올라가는 것이 직원들 간에 상호 예의이다. 그렇지 않으면 서로가 불편해지는 것이다. 올라가기 위해 공들였다. 사업도 마찬가지이다. 다양한 분야와 직군에 명함을 주고받는 사람들이 늘어났다. 그런 인간관계는 내가 계획하고 꿈꾸는 삶의 모든 영역에 선한 영향을 줄 것이라 믿었다. 그렇게 인생 전반전을 살았다. 그런데 그렇게 할 필요가 없었다. 우습게도 위로 올라가고, 성공이란 타이틀이 나에게 오는 순간에 다들 알아서 명함을 들고 찾아왔다.

제주 생활이 길어진다. 아무런 경제적 활동을 하지 않는다. 친구라는 인간관계를 믿음으로 알고, 서울 일을 다 맡기었다. 나의 배려는 그들의 희생으로 왜곡되어 다가온다. 나의 것을 뺏고, 질투하는 사람으로 꼬여버린 인간관계는 공허했고, 힘들고 어려운 관계를 의리로 유지하는 것은 무모했음을 알았다. 그런 관계를 잡고 있었던 것이 쪽팔리게 되었다. 쉽게 살수도 있었는데 어려운 삶을 내가 스스로 만들었다. 그들이 원하는 것을 주지 않자 그들은 돌아갈 때가 되었음을 알고 나를 욕하면서 돌아간다. 그들의 뒷모습을 보며 '이거는 아닌데' 발가벗겨진 모습으로 알게 되었다. 인생 후반전이 자칫 위기에 빠질 수 있었다.

인생 후반전을 살아가는 나에게 힘든 무언가를 계속 인내하도록 요구한다면, 그 관계는 사람에 대한 배려와 인정이 없는 것이다. 모든 것을 사랑과 희생으로 받아들이고 바라보면 죽는 날까지 힘들 수 있다. 후반전을 그렇게 살 필요 없다. 꿈과 환상을 위해 희생하는 것은 살아야 할 시간이 많은 전반전에서 가능한 것이다. 그런 설득을 할 필요도 받을 필요도 없다.

뭘 위해서 후반전을 살아야 하는지 나는 알고 있다. 지금 내 인생이 보너스라는 것이다. 백혈병으로 죽을 뻔한 인생이 아직도 살아 있는 것이다. 제주 생활은 전반전에서 상상도 하지 못했던 삶이다. 그렇게 많았던 인간관계는 날이 갈수록 줄어들고 있다. 예전 같으면 조바심이 생기었을 법한 일인데, 오히려 인간관계가 줄어드는 것을 즐긴다. 그들에게 잊힌 내가 감사할 뿐이다. 내가 새롭게 인간관계를 만들지 않는다. 번거로울 뿐이다. 현재 인간관계도 차고 넘친다. 인생 후반전은 할 수만 있다면 혼자 사는 것에 집중해야 한다.

관계를 유지하는데 힘들고 지친다면 버려야 한다. 관계를 부수는 것은 둘이 아니라 혼자서도 충분하다. 혼자 놀아도 된다. 새로 오는 관계를 반기지 말고, 있는 관계를 정리하는 즐거움이 있어야 한다. 관계가 끊어지는 것이 마음이 아프다고 상처를 받으면서 옆에 있을 수 없는 것이다.

젊었을 때는 그래도 어떻게 풀어갈 수 있는 시간이 있고, 버틸 힘이 있다. 불가능을 가능으로 바꾸어 보겠다는 의지도 있다. 어려움을 극복하였을 때의 성취감을 알기 때문이다.

사랑하면 이해할 수 있다고, 사랑하기 때문에 희생이라는 이름으로 버티는 경우가 많다. 사실, 사랑도 희생도 아니다. 얼마 남지 않은 시간을 그렇게 감정 소비할 수 없다. 쉬운 결정을 하면서 살아야 한다. 노력했어도 혼자로 남는다면 받아들여야 한다. 떨어져 가는 인간관계에 미련을 갖지 말아야 한다.

사람은 사랑이 있어야 다른 사람을 볼 수 있다. 이제는 다른 사람을 보지 말고 사랑의 눈으로 자기를 봐야 한다. 타인에 대한 사랑을 나에 대한 사랑으로 집중하여야 한다. 나의 삶인 것을 기억하자. 파도가 요동치는 것에 몸을 맡기지 말자. 희생이라고 하지만 결국은 욕심이다. 잔잔한 물결에 맡겨야 한다. 인생 후반전을 수월하게 사는 방법이다. 살아온 방식을 바꾸어야 한다. 한순간에 바꾸기 어렵다면 지금부터 조금씩 바꾸어 나가야 한다. 관계를 조금씩 정리하여 나가자. 전반전에서 경험하였으니, 후반전에서는 하지 말자. 불편한 관계를 유지하면서 살 시간이 후반전에는 없다는 것이다.

50. 평범, 폼나게 늙자.

후반전은 세상에 영향을 미칠 수 있는 일을 할 것이란 고민도 하지 말고, 뭔가를 이루려는 생각을 포기하고 살자. 솔직하게 말하면, 지금껏 살아온 인생이 그런 것에 내가 재능이 없다고 보여주고 있다. 그런 사람이니 우울해하지 않아도 된다. 자기 마음을 들여다보면 보이는 것이다. 나보다 못한 사람이 멋진 일을 해낸 것을 보고, 나도 할 수 있다고 생각하는 것은 착각이다. 그래서 길을 완전히 잃었던 적이 한두 번이 아니다. 이제 우리는 안다. 인생은 운칠기삼이었다. 성공한 사람은 땅에 떨어진 돈을 나보다 빨리 보았을 뿐이다. 그렇다고 그들이 천재가 아니라고 무시하는 짓은 더 쪼잔한 짓이다. 아마도 그들보다 내가 모지리 라는 것을 증명하는 짓이 될 것이다.

평범한 사람들이 성공하였지만, 나의 그릇은 성공을 담기에 너무 작은 것이었다. 남의 밥그릇 쳐다보며 침 흘리는 행동은 버릴 나이가 되었다. 남이 차려놓은 밥상에 숟가락 얹는 치사한 사람이 되지말자. 어울리지 않게 숟가락 들고 덤비는 쪼잔한 인생을 보이지 않아야 한다. 내 것이 아니면 미련을 버려야 한다. 추하게 늙어가는 모습만 남을 수 있다. 공연히 그들 주위에 어정쩡 거리지 말고, 길을 비켜주고 자신의 길을 가자.

  멋진 늙은이로 늙어가는 모습도 특별한 것이 아니라 평범한 것이다. 그렇다고 아무나 할 수 있는 것도 아니다. 남은 시간 멋지게 살 수 있다면 인생 성공이다. 인생에서 놀라운 일은 시끌벅적 이벤트 없이 조용히 다가온다. 시간이 지나고 지나, 어느 날 문득 느끼는 것이다. 특별한 내가 되어 있는 것에 놀라는 것이다. 수많은 기회가 남은 인생에 펼쳐질 것이다. 비록 건강, 사랑, 돈, 일 등에 있어 점점 하향곡선을 타면서 늙어가겠지만 말이다. 지금까지 안 죽고 살아 있는 것을 보면 쉽게 죽지도 않을 것이라 오기를 부려도 된다. 남은 인생 멋지게 살고 싶다는 것은 욕심도 아니다. 그냥 평범한 사람의 바람이다.

  남은 인생을 어떻게 살 것인지 분명해지면, 두려움 없어진다. '병이 있어 안돼' '돈이 없어, 못해' 하고 하면서 건강 또는 돈 탓을 할 수 있다. 탓하면서 얻는 것이 없다. 성공한 사람은 절대 남 탓을 하지 않는다. 한번 버릇 들이면 죽는 날까지 부모 탓, 사회 탓, 남 탓하면서 산다. 웃음밖에 안 나온다. 전반전을 성공적으로 살아온 사람은 남 탓하는 사람들이 아니다. 평범한 사람이 성공하는 이유이다. 다른 곳에서 핑계를 찾는 것이 상식에서 벗어난 것이다.

하룻밤에 만리장성 쌓을 수 없는 것이다. 마찬가지로 어느 날 갑자기 뚝딱 멋진 늙은이가 되는 것이 아니다. 매일 끊임없이 작은 흐름에 몸과 마음을 가꾸어야 한다. 내가 늙어가는 것은 그렇게 하루하루 보이지 않는 물결에 맡기는 것이다. 그렇지 않으면 매력이라고 하나 없는 냄새만 풀풀 풍기는 늙은이가 되어간다.

멋진 늙은이로 인정받고 싶다면, 어떻게 늙어가야 하는지 철학이 있어야 한다. 돈과 겉모습으로 살아가는 것은 파멸로 끝나면서 고독한 죽음을 맞이할 가능성이 있다. 돈을 펑펑 쓰는 특별함을 멋짐으로 착각한 것이다. 돈보다는 사랑을 주거니 받거니 하면서 사는 것이 중요하다. 이왕 늙어가는 거 폼나게 늙어가자. 인생의 마지막은 사랑을 받으려고 하지 말고, 사랑을 주면서 사는 것이 최고이다. 지극히 평범한 선택이다.

51. 소싯적에, 징글징글한 늙은이

말과 행동이 일치하는 사람 찾아보기 힘들다. 말과 행동이 다르다고 하여 인간관계에 상처를 받을 필요 없다. 내일 창피할 사람은 그 사람들이다. 하지만 창피한 것을 가슴에 묻어두고 나타난다. 썰렁해져도 웃음으로 때운다. 어떤 인간인지 두고 볼 필요가 없다. 살아오면서 뱉은 말에 책임을 진 것보다, 그렇지 않은 때가 더 많다는 것이 사람들의 모습이다. 다른 사람은 속여도 본인은 못 속인다. 항상 자신을 속이고, 위로하고 산다. 기원전 500년 전에 공자가 "사람이 말하는 대로 행동해야 한다."고 한 것은 그러한 사람을 찾아볼 수가 없어서 한 말이다.

나이로 어른을 존경하는 것이 아니다. 어른다운 행동이 있어야 존경을 담아주는 것이다. 그런 사람은 드물다. 늙으면 지혜가 있다는 말이 거짓말이다. 무식한 것을 굳이 세상에 보여주지 않아도 되는데, 굳이 보여주면서 사는 것이 대부분 노후의 삶이다. 지혜는 지식을 근간으로 생긴다. 지식은 배움의 지식, 이성적 지식, 감각적 지식으로 구분한다. 이 3가지 모두를 통달한 사람을 '깨달은 자'라고 하는 것이다. 좋은 대학을 나온 사람은 배움의 지식을 가지고 있다. 그것으로 지식인 흉내를 내는 것이다. 좋은 대학과 지식은 비례하는 것이 아니다. 무식한 사람이지만, 서울대 나왔다는 이유 하나로 평생을 빈대처럼 사는 사람이 있다. 인연을 끊어야 하는 사람들이다.

지혜는 지식에 경험이 덧붙여져야 생긴다. 산전수전 다 겪어서 지혜가 생기었을 것이라면 착각이다. 지식과 경험이 일반인이 취할 수 있는 것보다 월등하게 넘어서야 한다. 지식이 경험으로, 경험이 지식으로 서로가 자극을 주면서 지혜가 생기는 것이다. 어설프게 지식을 쌓고, 경험을 가지면 '건방'이 하늘을 찌른다. 하룻강아지 범 무서운 줄 모른다. 인간은 태어날 때 아무것도 모르는 백지상태 이다. 나이를 먹으면서 지식을 쌓아간다. 평생 배워도 배운 것보다, 못 배운 것이 더 많다. 얄팍하게 책 몇 권 읽었다고 하여 강아지 처럼 지혜가 졸졸 따라붙는 것이 아니다. 벼는 익을수록 고개를 숙 이는 법이다. 전반전을 지혜롭게 살아왔는지 아니면 무식하게 살아 왔는지 본인은 안다. 대부분 사람은 후자에 해당한다.

세상에서 인간이 살아가는 규칙을 내 손으로는 바꿀 수 없다. 지혜는 지식을 뛰어넘는 깨달음 과정이다. 삶의 이치는 나이가 들 었다고 아는 것이 아니다. 삶에 대한 끊임없는 명상을 통해서 아는 것이다. 인간의 속성과 만물의 이치를 볼 수 있는 눈이 지혜인 것 이다. 늙은 사람이 지혜로울 것으로 생각하는 것은 착각이다. 그냥 늙을수록 더욱 간교해지고 교활하고 음흉해진 눈을 가질 뿐이다.

그렇게 늙어갈 수도 있다. 지혜를 잘못 이해한 간교한 늙은이다. 젊은이와 늙은이의 간교함은 비교 불가이다.

 간교하게 늙어가면 사기꾼으로 삶을 마칠 수 있다. 그렇게 사는 것을 본인이 알고, 신이 안다. 세상은 변하는데 사람은 안 변한다. 그 사람의 말과 행동을 보면 그 사람의 미래가 보인다. 옹졸한 인생이 보이는 것이다. 우리는 죽을 때 잘 죽어야 한다. 세상에 대고 '나'를 알리고 싶으면 말을 함부로 하지 말고, 행동으로 보여주어야 한다. '왕년에' '소싯적에' '젊었을 때' 온종일 주절주절 아는 것처럼 떠들고 다니는 인생은 세상에 널려있다. 먹을 만큼 나이 먹었어도 나이값 못하는 징글징글한 어른들이다. 그래서 늙으면 다들 외롭게 사는 것이다. 외롭게 살 짓 하고는 탓, 탓, 탓하는 것이다.

52. 불안하다고, 막사는 것은 없다.

　인생을 어떻게 살 것인지 그림을 그린다. 확실한 그림을 그리고자 한다면 또 실수하는 것이다. 살면서 실수투성이로 살아온 이유이다. 세상에 확실한 것은 없다. 오늘 즐거운 일로 행복을 느끼다가 아무 일도 없었다는 듯이 내일 절망스러운 죽음을 맞이하는 것이 인생이다. 내가 통제할 수 있는 것은 아무것도 없다. 내가 아무리 뛰어난 능력이 있어도, 온갖 노력을 다해도 그럴 수 있는 것이다. 별짓을 다 해도 인생이 내 맘대로 흘러가지 않는다.

　지금까지 살면서 계획대로 된 것이 없다. 대부분 좋은 결과보다 나쁜 결과가 더 많았다. 어렵게 찾아온 기회를 오히려 날려버리고, 차려진 밥상을 걷어찬 적이 많다. 놀라서 기절할만한 사건이 늘 있었다. 전혀 예상하지 못했던 일들이다. 인생이 그렇게 뒤죽박죽이었다. 계획은 늘 거창하였는데, 결과물은 늘 초라하였다. 이렇게 살아온 것이 기적이다. 인생이 연속극이 되고 드라마가 되는 이유이다. '재수 없는 놈'으로 스스로 비하한 적도 있다. 버티고 버티다가 이유나 알자면서 또는 지푸라기라도 잡는 심정으로 점집을 찾아간다.

전문가라는 사람들은 그 분야의 부정적인 가짜 뉴스를 전달함으로 유명해진다. SNS의 90%는 Fake이고, 가짜를 전달하고, 이것이 돈이 되는 세상이다. 욕 할려면 하고, 침 뱉으려면 뱉으라는 배짱으로 거짓을 퍼트린다. 사람들의 본성은 긍정적인 것보다 부정적인 생각을 더 많이 한다. IT가 발전하면서 이것을 이용한 비즈니스 모델이 인기를 끄는 것이다. 새로운 것은 아니다. 사람들의 불안 심리를 이용한 비즈니스 모델의 시작은 종교였다. 정통 종교와 이단 종교의 차이는 종잇장 두께만큼도 없다. 둘 다 종말론으로 사람을 흔드는 것이다. 사후세계에서 영원한 삶을 살 수 있다고 사람을 유혹하는 것이다. 둘 다 이해할 수 없는 신비주의를 들고나온다. 기원전 570년의 고대 철학자이자 수학자인 피타고르스는 영혼의 윤회사상을 믿는 신비주의 종교의 교주였다. 사람이 돈 버는 방법은 고대나 지금이나 다르지 않다. 사람의 불안 심리를 이용하는 것이다.

예상하지 않은 사건이 발생하여 전반전처럼 인생 후반전도 망가질 수 있다. 그러나 확실한 것은 늙어가는 것이다. 생각과 행동이 유연해야 한다. 불안한 마음으로 세상을 바라보면서 뭔가를 준비할 시간이 없다. 어차피 계획대로 되는 것도 아니다. 나이를 먹으면 자기만의 고집이 생기고, 그 고집을 자랑스럽게 생각하는 사람들이 있다. 그것이 세상을 살아가는 이치로 착각하는 것이다. 자기만의 행동 패턴에 대단한 가치를 부여하고, 확실하다고 믿는 것이다. 똥

고집이 생기는 것이다. 바보들이다. 변화에 순응하면서 살아야 한다. 살면서 최악은 없다. 자기감정에 빠지는 것이다. 그런 감정이 와도 긍정적인 뭔가를 찾아내면서 살아야 한다. 내일에 대해서 근심해 보았자 아무런 소용이 없다. 내일이 생각보다 빨리 올 수 있다. 바람이 불면 그러려니 하면 된다. 불안하다고 하여, 확실하지 않은 다른 그 무엇에 더 의존하는 것을 경계하여야 한다. 막살지 말자. 그냥 내일이 내 앞에 있다는 것, 그것만 기억하고 가슴에 담아두고 살자.

53. 지금, 화려하게 살자

인간은 스스로 삶에 대한 의미를 이해하여 철학적 깨달음이 있다 하여도, 현실은 변하는 것 없이 그대로이다. 인생을 힘든 이유 중의 하나이다. 세상에 딱 한 사람, 혼자 살지 않는 이상 불가능한 것이다. 자고, 밥 먹고, 놀고 모든 원초적 삶에 돈이 필요하다. 삶의 고달픈 벽이 현실로 다가오는 것이다. 현실과 이상에서 낙담하는 것이다. 그 차이를 줄일 방법이 그리 많지 않다. 결국 우리는 실제 나의 모습을 받아들이기보다는, 있지도 않은 가상의 나를 찾는데 에너지를 쏟는다.

30대에 하는 일마다 실패하면서 잔인한 삶이 내 인생이라 생각했다. 인생을 있는 그대로 받아들이지도, 존중하지도 않았다. 울분과 자학으로 시간을 보냈다. 입만 벙긋하면 분노를 표출할 수 있는 만큼 밖으로 뿜어내었다. 술에 취한 눈으로 세상을 보았다. 신을 잃어버린 시간이었다. 방향을 잃어 어디로 가야 할지 몰랐다. 현실을 받아들이지 못한 것이다. 무너진 자괴감에 스스로 상처를 내면서, 내 인생에서 시간이 통째로 사라진 것이다.

후반전을 준비하면서 부끄러움으로 다가온다. 남은 인생은 살아온 삶을 인정하고 가야 한다. 현실을 받아들이면 현실은 또 다른 모습으로 경이로움을 안겨준다. 삶의 변화가 있는 것이다. 과거를 분노의 눈으로 보지 말고, 그럴 수 있는 것으로 보면, 행복이 옆에 있는 것을 알게 된다. 현실을 부정하면 우울한 감정에 빠질 뿐이다. 스스로 합리화하는 수백 가지의 변명을 하지만, 진짜 그럴싸한 것은 하나 없다. 왜 그렇게 살고 있는지에 구구절절 말이 많다. 나 스스로 고달픔을 선택한 것이다. 인생이 행복하지 않은 것은 내 탓이다. 남은 인생은 그렇게 살지 않아야 한다.

살아온 인생의 하루하루는 늘 어려웠다. 위험과 고통, 고난으로 가득한 시간이었다. 고난을 이겨낸 사람들이 자신의 삶을 당당하게 살아간다. 변명으로 가득 찬 사람은 위험과 고통과 고난을 회피하면서 도망가듯이 살아왔을 것이다. 그 사람의 선택이었기에 겁쟁이라는 말로 비난을 할 수는 없다. 단지, 검증된 길만 선택한 본인 몫만 남았을 것이다.

자아가 위험을 감수하라고 소리를 질렀음에도 불구하고, 내면의 또 다른 자아가 '미련한 짓'으로 판단한 것이다. 따라서 현재 가지고 있는 것에 만족하여 남은 인생을 살아야 한다. 출발선을 받아들여야 한다. 남 탓하거나, 남의 것을 탐하는 것은 반칙이다. 그나마 옆에 있던 친구들도 사라질 수 있다. 후반전은 어떻게 살 것인가? 어떤 소리에 따라 살 것인지는 본인의 몫이다. 난 재미있게 살기로

하였다. 그렇다면 지금의 백혈병을 즐겨야 한다. 남은 인생은 골목
길 끝에 거의 와 있는 것이다. 오늘이 내 인생의 가장 화려한 날
이 되어야 한다.

54. 지루한 인생, 내 몫이다.

    시간이 따분하다. 하루하루가 지루하다. 마치 삶의 의미가 없는 듯 허무하다. 거실에서 침실로, 다시 침실에서 거실로 어슬렁어슬렁 된다. 시간이 흘러가는 과정에서 지루함을 느끼는 감정이다. 이런 무료한 반복에서 벗어나고자 한다. 흥미로운 소일거릴 찾지만, 하루 이틀 지나면 다시 지루함으로 바뀐다. 열정을 쏟아부었던 일이 어느새 지루함이 온다. 그렇다면 삶이 지루한 것을 당연한 것으로 받아들여야 할 것 같지만 그렇지 않다. 잘못된 판단이다.

    전반전은 공부하고, 결혼하고, 아이들 키우고, 직업 바꾸고, 사업하면서 정신없이 살았다. 시간은 늘 부족하였다. 지루할 틈이 없었다. 그러나 후반전은 다르다. 하루 24시간 널널하다. 지루함에서 벗어나는 유일한 방법은 삶에 자유를 주어야 한다. 구속이 없어야 한다. 안타깝게도 죽는 날까지 구속에서 벗어나지 못해 자유가 뭔지도 모르고 살 수 있다. 인생에서 우리를 흥분시키고, 즐거운 재미를 주는 것은 밤하늘의 별만큼 많다. 후반전을 지루하게 산다는 것은 시간을 자유롭게 쓰지 못하는 사람이다. 시간을 써야 한다. 쓰지 않은 시간은 그냥 낭비이다.

서서 하는 일 중에 가장 재미난 것은 골프, 앉아서 하는 것 중에서 가장 재미난 것은 마작, 누워서 하는 것 중에서 가장 재미난 것은 섹스라고 한다. 누가 언제 왜 이런 말을 만들었는지 모르지만, 오랫동안 우스운 소리로 회자 되는 말 중의 하나이다. 이 3가지의 특징은 중독성이 강한 것이다. 반복이 되어도 지루하지 않은 특징을 가지고 있다. 그래서 인간을 파멸로 이끌거나, 시간을 낭비하면서 살게 하는 것이다. 빠져들면 인생의 진흙탕에서 헤어나지 못하는 것이다. 이것 말고도 우리가 재미있게 시간을 보낼 수 있는 것은 수백 가지 있다는 것을 알아야 한다. 그중에 몇 개를 내가 인생 후반전에서 즐기면서 살 것인지 준비해야 한다. 내가 지루하지 않을 것을 찾아야 한다.

　삶에서 은퇴하여 인생 후반전을 사는 것인지, 인생 후반전에서 삶을 은퇴하여 사는 것인지 모르지만, 살아있으면 삶을 재미있게 살아야 한다. 재미를 모르고 살면 우울증에 자꾸 빠져든다. 살아도 산 것이 아니라는 생각을 한다. 왜 사는지를 고민하게 된다. 늙으면 지루함을 없애기 위해 TV 앞에서 하루를 보내는 사람도 있다. 생각의 과정 없이 멍을 때리는 것이다. 늙어갈수록 멀리하여야 할 것은 TV이다. 내 인생의 남은 시간을 통째로 가져다 버리는 것이다. 정신적으로 나를 더욱 곤궁하게 하고, 육체적으로 급속한 소멸의 과정이 TV 앞에서 이루어진다.

지루함을 후반전에 없애야 한다. 내가 지금 지루하게 살고 있다면 그것은 나의 선택일 뿐이다. 놀 줄 알아야 한다. 인간은 유희의 동물(Homo Ludens)이다. 인생 후반전의 경쟁력은 딱 하나 '놀 줄 아는 인간'이다. 유희는 감각적 쾌락도 있지만, 지적 깨달음 같은 정신적 창조 활동을 추구하는 이성적 쾌락도 있다. 감각적 쾌락과 이성적 쾌락을 적절하게 섞으면서 잘 놀아야 한다. 대부분의 지루함은 감각적 쾌락에 집중될 때 나타난다. 이것저것 취미활동을 하지만, 금방 싫증이 나면서 지루해하는 이유이다. 정신적 창조 활동을 통한 즐거움을 찾아 조화롭게 삶을 살아야 한다. 오늘을 어제처럼 살지 말아야 한다. 꾸물거릴 시간이 없다. 재미를 찾아야 한다. 시간을 낭비하지 않고 어떻게 쓸 것인지 집중해야 하는 것이 후반전 인생의 절대적 과제이다.

55.   나의 행복이 너의 행복, 아니면 할 수 없고

살아오면서 별의별 사람을 다 만나고 살았다. 그동안 만나서 인연을 맺었던 사람들이 전화번호로 기록되어 있다. 희한하고, 잘났고, 치사하고, 좋고, 역겹고, 까다롭고, 똑똑하고, 이기적이고, 희생적이고, 정의롭고, 거짓말하고, 배신하고, 신실하고, 존경하고, 교활하고, 무식한 사람이 나하고 이래저래 삶 속에 인연을 맺었다. 경직된 인간을 보면 불쌍한 마음으로 바라보았고, 잘난 사람을 보면 시기로 질투했다. 이러한 사람들 사이에서 좌절하고 고뇌하고 실망하고 분노하고 웃으면서, 구차하지만 끈질기게 살았다. 나만 아니라 다른 사람들도 다 그렇게 산다. 대단한 인생을 사는 것 같지만, 사람 사는 모습은 다 비슷비슷하다. 별일 없듯, 별 볼 놈 없다.

어떤 사람들은 나에게서 긍정적인 보는 것 보다, 부정적인 것을 본다. 나의 흠을 잡고, 나를 무너지게 하고, 나를 추락하게 만든다. 내가 멋진 놈으로 살고자 하여도, 질투와 시기로 가득한 눈빛을 보낸다. 내가 내 삶에 열정을 바치고 있을 때, 비웃으면서 나를 괴롭히는 맛으로 사는 사람들도 있다. 추락하여 밑바닥까지 떨어져 엉망이 된 내 삶을 보고 '그럼 그렇지' 하면서 웃는다. 자기에게 의

존하도록 나를 끊임없이 가스라이팅한다. 이런 일이 어느 날 갑작스럽게 일어났다고 생각하는 것이 이상한 것이다. 세상을 너무 순진하게 본 것이다. 변덕스럽고 무례하게 이성의 끈을 놓고 나는 분노한다. 삶이란 함정에 빠진 것이다. 꼭두각시처럼 그렇게 못난이로 살았다. 난 딱 그 수준에 머물러 있었다.

수많은 사람을 만나고 부대끼고, 헤어지면서 살았다. 진짜와 가짜를 구분할 수 없었다. 틀리면 내가 너를 바꿀 수 있다고 생각을 하였다. 착각이었다. 이제는 그렇게 용쓰면서 기진맥진 살 필요가 없다. 사람으로 사는 동안에는 사람으로 지켜야 할 선이 있다. 못마땅하게 그들을 바라보고, 선을 쉽게 넘어버린 나와 너, 모두가 문제였다. 살아가는 세상이 다르다는 것을 인정해야 한다. 나 또한 변하지 않는다는 것을 알면서도 인정하기 싫었다.

각자가 선택한 인생은 존중받아야 한다. 지금까지 바뀌지 않았다면, 너와 나, 둘 다 그렇게 지금처럼 늙어갈 것이다. 현재의 모습이 마음에 들지 않으면 상처를 주지 말고 떠나야 한다. 인생을 산다면 나와 비슷한 사람끼리 어울려 살아야 한다. Good-bye My Life 할 때까지 즐겁게 살아야만 한다. 감당할 수 없을 정도로 힘든 사람은 인연이 아니다. 나의 인생을 귀히 여기지 않는다면 전반전에서 맺어진 고달픈 인연은 후반전을 시작하면서 끊어야 한다. 볼 것 없는 작은 것이 늘 욕심이 되는 것을 경계해야만 한다.

유쾌하지 않은 사람을 억지로 만나면서 시간을 보내는 것은 후반전 내 인생에 불길한 징조로 다가올 것이다. 나의 모든 것을 쉽게 주면, 시간에 대한 낭비로 온다. 그것은 전반전에서 충분히 보았다. 그들은 속마음을 숨기고 여기저기에서 나의 손을 빌리고 그들의 행복을 위해 사용한다. 그러한 만남은 알게 모르게 나의 눈과 귀를 가려 세상과 소통하지 못하도록 한다. 어떤 사람은 남의 인생을 비참하게 만드는 것이 사랑인 줄 안다. '본의 아니게'라는 말로 구렁이 담 넘어가듯 할 수 있는 것이 아니다. 불행한 삶을 행복으로 착각하고 사는 것이다. 안타깝게도 죽을 때 되어서야 잘못 살았음을 알게 된다. '미안하다.'는 말 한마디로 끝날 수 있는 것이 아니다.

인간이란 철학적 사고를 통하여 스스로 삶의 과정을 선택하고 변해갈 수 있는 동물이다. '앎'을 추구하는 '자아'라는 의식이 존재하기 때문이다. 신이 인간에게 신의 형상을 가지게 함으로 세상을 다스리게 하였다(창세기 1:26). 신의 형상이 인간이 가지고 있는 자유 의지다. 인간과 동물의 차이가 여기에 있다. 다른 사람을 인위적으로 내가 바꿀 수 있을 것이란 생각은 지나친 교만이다. 사람은 자신의 인격과 품격, 삶의 태도를 스스로만 통제할 수 있는 것이다. 물론 평생 자신의 삶을 스스로 통제해 보지 못하고 죽는 사람들도 많다.

그 누구도 아집과 고집으로 단단히 뭉쳐버린 나를 변하게 할 수 없었지만, 백혈병이란 질병은 내가 삶을 '앎'으로 돌아보게 하였다. 나의 선택은 나의 자유 의지로 만들어진 것이다. 그 변화된 모습으로 또 다른 인생의 출발선에 서 있다. 내 삶은 앞으로 달라질 것이다. 나는 바뀌어 가고 있다. 지금까지 살아온 내 모습과 어울리고 안 어울리고는 중요하지 않다.

내 삶은 불행했었다. 삶에 대한 '앎'이 없으므로 내 인생을 통제하지를 못하였다. 세뇌당한 학습은 '앎'이 아니었다. 왜 사는지를 몰랐으니 불행이 무엇인지도 몰랐을 것이다. 남은 인생은 행복한 사람으로 살아갈 것이다. 나에게 주어진 시간은 길지 않을 수도 있다. 남은 시간이 그다지 많지 않다고 해도, 남은 삶을 시간 낭비하지 않고 즐길 수 있다. 죽음은 두려움으로 나에게 다가오지 않을 것이다.

내가 행복하게 사는 것에 집중하고, 나의 행복이 너의 행복이 되어야 한다. 물론 너는 너의 행복에 집중해야 한다. 너의 행복이 나의 행복이 되면 좋고, 아니면 할 수 없는 것이다. 행복은 단순하면서도 복잡한 것이다. 치료는 끝나지 않았다. 진행 중이다.

남은 삶, 행복하게 살자. 멋지게 늙어가고 재미나게 살자. 딸아, 아들아, 아빠하고 그렇게 살자.

<끝>